国家陆地生态系统定位观测研究站研究成果

中国陆地生态系统质量定位观测研究报告 2020

总 论

国家林业和草原局科学技术司 ◎ 编著

中国林业出版社
China Forestry Publishing House

图书在版编目(CIP)数据

中国陆地生态系统质量定位观测研究报告. 2020. 总论 / 国家林业和草原局科学技术司编著. —北京：中国林业出版社，2021.11
(国家陆地生态系统定位观测研究站研究成果)
ISBN 978-7-5219-1054-4

Ⅰ. ①中… Ⅱ. ①国… Ⅲ. ①陆地−生态系−观测−研究报告−中国−2020
Ⅳ. ①Q147

中国版本图书馆 CIP 数据核字(2021)第 034439 号

审图号：GS(2021)8679

责任编辑：何　鹏　徐梦欣

出版	中国林业出版社(100009　北京西城区刘海胡同 7 号)
	网址　http://www.forestry.gov.cn/lycb.html　电话　010-83143542
发行	中国林业出版社
印刷	北京博海升彩色印刷有限公司
版次	2021 年 11 月第 1 版
印次	2021 年 11 月第 1 次印刷
开本	889mm×1194mm　1/16
印张	4.75
字数	75 千字
定价	52.00 元

编委会

主　任　彭有冬

副主任　郝育军

编　委　厉建祝　刘韶辉　刘世荣　储富祥　费本华
　　　　宋红竹

————— 编写组 —————

主　编　杨振寅

编　者　杨振寅　刘庆新　孙尚伟　张　群　卢康宁
　　　　刘烜孜　李　兴

编写说明

习近平总书记强调："绿水青山既是自然财富、生态财富，又是社会财富、经济财富。"那么，我国"绿水青山"的主体——陆地生态系统的状况怎么样、质量如何？需要我们用科学的方法，获取翔实的数据，进行认真地分析，才能对"绿水青山"这个自然财富、生态财富，作出准确、量化地评价。这就凸显出陆地生态系统野外观测站建设的重要性、必要性，凸显出生态站建设、管理、能力提升在我国生态文明建设中的基础地位、支撑作用。

党的十八大以来，党中央、国务院高度重视生态文明建设，把生态文明建设纳入"五位一体"总体布局，并将建设生态文明写入党章，作出了一系列重大决策部署。中共中央、国务院《关于加快推进生态文明建设的意见》明确要求，加强统计监测，加快推进对森林、湿地、沙化土地等的统计监测核算能力建设，健全覆盖所有资源环境要素的监测网络体系。

长期以来，我国各级林草主管部门始终高度重视陆地生态系统监测能力建设。20 世纪 50 年代末，我国陆地生态系统野外监测站建设开始起步；1998 年，国家林业局正式组建国家陆地生态系统定位观测研究站(以下简称"生态站")；党的十八大以后，国家林业局(现为国家林业和草原局)持续加快生态站建设步伐，不断优化完善布局，目前已形成拥有 202 个(截至 2019 年年底)站点的大型定位观测研究网络，涵盖森林、草原、湿地、荒漠、城市、竹林六大类型，基本覆盖陆地生态系统主要类型和我国重点生态区域，成为我国林草科技创新体系的重要组成部分和基础支撑平台，在生态环境保护、生态服务功能评估、应对气候变化、国际履约等国家战略需求方面提供了重要科技支撑。

经过多年建设与发展，我国生态站布局日趋完善，监测能力持续提升，积累了大量长期定位观测数据。为准确评价我国陆地生态系统质量，推动林草事业高质量发展和现代化建设，我们以生态站长期定位观测数据为基础，结合有关数据，首次组织编写了国家陆地生态系统定位观测研究站系列研究报告。

本系列研究报告对我国陆地生态系统质量进行了综合分析研究，系统阐述了我国陆地生态系统定位观测研究概况、生态系统状况变化以及政策建议等。研究报告共分总论、森林、草原—东北地区、湿地、荒漠、城市生态空间、竹林—闽北地区 7 个分报告。

由于编纂时间仓促，不足之处，敬请各位专家、同行及广大读者批评指正。

丛书编委会
2021 年 8 月

序 一

陆地生态系统是地质环境与人类社会经济相互作用最直接、最显著的地球表层部分,通过其生境、物种、生物学状态、性质和生态过程所产生的物质及其所维持的良好生活环境为人类提供服务。我国幅员辽阔,陆地生态系统类型丰富,在保护生态安全,为人类提供生态系统服务方面发挥着不可替代的作用。但是,由于气候变化、土地利用变化、城市化等重要环境变化影响和改变着各类生态系统的结构与功能,进而影响到优良生态系统服务的供给和优质生态产品的价值实现。

1957年,我赴苏联科学院森林研究所学习植物学理论与研究方法,当时把学习重点放在森林生态长期定位研究方法上,这对认识森林结构和功能的变化是一种必要的手段。森林是生物产量(木材和非木材产品)的生产者,只有阐明了它们的物质循环、能量转化过程及系统运行机制,以及森林生物之间、森林生物与环境之间的相互作用,才能使人们认识它们的重要性,使森林更好地造福人类的生存和生活环境。当时,这种定位站叫"森林生物地理群落定位研究站",现在全世界都叫"森林生态系统定位研究站"。我在研究进修后就认定了建设定位站这一特殊措施,是十分必要的。1959年回国后,我即根据研究需要,于1960年春与四川省林业科学研究所在川西米亚罗的亚高山针叶林区建立了我国林业系统第一个森林定位站,开展了多学科综合性定位研究。

在各级林草主管部门和几代林草科技工作者的共同努力下，国家林业和草原局建设的中国陆地生态系统定位观测研究站网（CTERN）已成为我国林草科技创新体系的重要组成部分和基础支撑平台，在支持生态学基础研究和国家重大生态工程建设方面发挥了重要作用，解决了一批国家急需的生态建设、环境保护、可持续发展等方面的关键生态学问题，推动了我国生态与资源环境科学的融合发展。

国家林业和草原局科学技术司组织了一批年富力强的中青年专家，基于 CTERN 的长期定位观测数据，结合国家有关部门的专项调查和统计数据以及国内外的遥感和地理空间信息数据，开展了森林、湿地、荒漠、草原、城市、竹林六大类生态系统质量的综合评估研究，完成了《中国陆地生态系统质量定位观测研究报告（2020）》。

该系列研究报告介绍了生态站的基本情况和未来发展方向，初步总结了生态站在陆地生态系统方面的研究成果，阐述了中国陆地生态系统质量状态及生态服务功能变化，为准确掌握我国陆地生态状况和环境变化提供了重要数据支撑。由于我一直致力于生态站长期定位观测研究工作，非常高兴能看到生态站网首次出版系列研究报告，虽然该系列研究报告还有不足之处，我相信，通过广大林草科研人员持续不断地共同努力，生态站长期定位观测研究在回答人与自然如何和谐共生这个重要命题中将会发挥更大的作用。

中国科学院院士

2021 年 8 月

序 二

党的十九届五中全会通过的《中共中央关于制定国民经济和社会发展第十四个五年规划和二〇三五年远景目标的建议》提出了提升生态系统质量和稳定性的任务，对于促进人与自然和谐共生、建设美丽中国具有重大意义。建立覆盖全国和不同生态系统类型的观测研究站和生态系统观测研究网络，开展生态系统长期定位观测研究，积累长期连续的生态系统观测数据，是科学而客观评估生态系统质量变化及生态保护成效，提高生态系统稳定性的重要科技支撑手段。

林业生态定位研究始于20世纪60年代，1978年，林业主管部门首次组织编制了《全国森林生态站发展规划草案》，在我国林业生态工程区、荒漠化地区等典型区域陆续建立了多个生态站。1992年，林业部组织修订《规划草案》，成立了生态站工作专家组，提出了建设涵盖全国陆地的生态站联网观测构想。2003年，正式成立"中国森林生态系统定位研究网络"。2008年，国家林业局发布了《国家陆地生态系统定位观测研究网络中长期发展规划(2008—2020年)》，布局建立了森林、湿地、荒漠、城市、竹林生态站网络。2019年又布局建立了草原生态站网络。经过60年的发展历程，我国生态站网建设方面取得了显著成效。到目前为止，国家林业和草原局生态站网已成为我国行业部门中最具有特色、站点数量最多、覆盖陆地生态区域最广的生态站网络体系，为服务国家战略决策、提升林草科学研究水平、监测林草重大生态工程效益、培养林草科研人才提供了重要支撑。

《中国陆地生态系统质量定位观测研究报告（2020）》是首次利用国家林业和草原局生态站网观测数据发布的系列研究报告。研究报告以生态站网长期定位观测数据为基础，从森林、草原、湿地、荒漠、城市、竹林 6 个方面对我国陆地生态系统质量的若干方面进行了分析研究，阐述了中国陆地生态系统质量状态及生态服务功能变化，为准确掌握我国陆地生态系统状况和环境变化提供了重要数据支撑，同时该报告也是基于生态站长期观测数据，开展联网综合研究应用的一次重要尝试，具有十分重要的意义。

党的十八大以来，以习近平同志为核心的党中央把生态文明建设纳入"五位一体"国家发展总体布局，作为关系中华民族永续发展的根本大计，提出了一系列新理念新思想新战略，林草事业进入了林业、草原、国家公园融合发展的新阶段。在新的历史时期，推动林草事业高质量发展，不但要增"量"，更要提"质"。生态站网通过长期定位观测研究，既能回答"量"有多少，也能回答"质"是如何变化。期待国家林业和草原局能够持续建设发展生态站网，不断提升生态站网的综合观测和研究能力，持续发布系列观测研究报告，为新时期我国生态文明建设做好优质服务。

中国科学院院士　于贵瑞

2021 年 8 月

前　言

　　中国陆地生态系统定位观测研究站网(China Terrestrial Ecosystem Research Network，以下简称 CTERN)于 1998 年建立，是开展生态系统结构与功能的长期、连续、定位野外科学观测和生态过程关键技术研究的网络体系。经过 20 余年的建设与发展，形成了涵盖森林、草原、湿地、荒漠、竹林、城市 6 大体系 202 个(截至 2019 年年底)生态站的定位观测研究网络，基本覆盖各生态系统主要类型和重点生态区。

　　本报告主要基于 CTERN 的长期定位观测数据，结合国家林业和草原局、中国气象局、农业农村部、水利部有关业务司局的专项调查数据，国家、省(自治区、直辖市)、县的统计数据，国内外的遥感和地理空间信息数据，开展了森林、湿地、荒漠、草原、城市、竹林六大类生态系统的综合分析研究。结果表明：

　　(1)中国森林生态系统质量稳步提升。森林面积、蓄积、生态功能稳步增长，森林生态系统固碳量年增长 2.59 亿吨，重点林业生态工程区生态效益显著提升，森林通过固碳功能吸收了全国同期二氧化碳排放量的 15.91%，起到了显著的绿色减排作用。

　　(2)中国湿地生态健康显著改善。湿地生态健康综合指数 10 年提高 7.2%，中国滨海湿地生态系统服务价值巨大，2017 年为 1.93

万亿元；近40年国家级湿地保护地体系建设稳步推进，已经初步形成比较完善的湿地保护体系。

（3）中国荒漠生态系统质升效增。荒漠化和沙化面积持续减少，沙化逆转速度加快，提前10年实现联合国2030年土地退化零增长目标，生态服务价值由上一个5年期的每年3.08万亿增值到4.23万亿，荒漠区生态保护与经济增长的包容性更加协调、均衡发展。

（4）东北地区草地面积显著减少，生态状况持续改善。20世纪80年代至今，东北地区草原面积减少15.8万平方公里，减幅43%，面积减少主要是在水分条件较好的草原类型地区。草原植被生长状况整体上呈波动上升趋势，生态状况持续改善。

（5）中国城市生态空间建设进入高水平发展阶段。城市生态空间呈现量质双升的态势，植物、鸟类、蝴蝶等种类日益丰富，城市生物多样性持续改善，城市生态空间显著减缓热岛效应和改善游憩环境。

（6）中国竹林面积持续增加，生态效益显著提升。中国竹林资源稳步增加，竹林面积从304万公顷（1973—1976年）增长到641万公顷（2014—2018年），竹林生态系统服务功能突出，近15年竹林碳汇功能呈上升趋势。

本书编写组
2021年8月

目 录

一、中国陆地生态系统定位观测研究概况

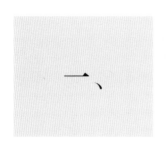

（一）站网建设

中国陆地生态系统定位观测研究站网（China Terrestrial Ecosystem Research Network，以下简称 CTERN）于 1998 年建立，是开展生态系统结构与功能的长期、连续、定位野外科学观测和生态过程关键技术研究的网络体系。经过 20 余年的建设与发展，从原有的森林生态系统网络逐步发展成为包括森林、草原、湿地、荒漠、竹林、城市六大生态网络体系，基本覆盖各生态系统主要类型和重点生态区的定位观测研究网络。

图 1-1　2019 年中国陆地生态系统定位观测研究站网建设现状

　　截至 2019 年年底，CTERN 在全国典型生态区已有 202 个生态站 (图 1-1)，基本形成了覆盖全国主要生态区、具有重要影响的大型观测研究网络，为开展生态效益考核与生态服务功能评估等搭建了重要的科技创新平台。

　　其中，森林生态站 106 个，占全网台站数量的 53%，已在全国 29 个省 (自治区、直辖市) 建设布局，涵盖了我国 9 个植被气候区和 40 个地带性植被类型。

　　草原生态站 4 个，约占全网台站数量的 2%，分布在青藏高寒草原生态区、蒙宁干旱半干旱草原生态区及东北湿润半湿润草原生态区。

　　湿地生态站 39 个，占全网台站数量的 19%，实现了沼泽、湖泊、河流、滨海四大自然湿地类型和人工湿地类型的全覆盖，遍布 24 个省 (自治区、直辖市)。

　　荒漠生态站 26 个，占全网台站数量的 13%，实现了除滨海沙地外，我国主要沙漠、沙地以及岩溶石漠化、干热干旱河谷等特殊区域的覆盖。

　　竹林生态站 10 个，占全网台站数量的 5%，涵盖了我国五大竹区中的琼滇攀援竹区、南方丛生竹区、江南混合竹区、北方散生竹区等 4 个区域，实现了对核心竹产区的全覆盖。

　　城市生态站 17 个，占全网台站数量的 8%，主要布局在上海、深圳、重庆、杭州、长沙，广州等重点城市 (图 1-2)。

图 1-2　2019 年生态定位观测研究站网建设进展

　　目前，CTERN 共有 11 个台站成为科技部所属国家野外科学研究台站，其中荒漠生态站 1 个，森林生态站 10 个，占全网台站数量的 5%。

　　从全国行政区划看 (图 1-3)，除天津、港澳台外，CTERN 均有台站分布，整体上看，台站分布数量与地域面积和经济发展水平呈正相关。其中，内蒙古自治区已有 19 个台站，在数量上列居全网第一。

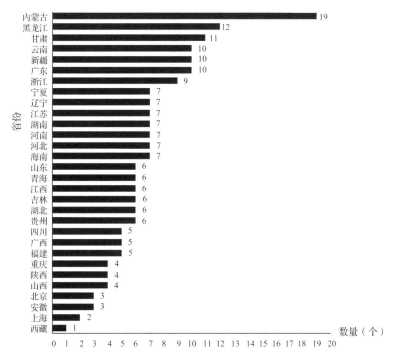

图 1-3　2019 年全国各行政区内台站数量

从建站时间看，全网有 82% 的台站为近 10 年来建设的，其中有近半数的台站为近 5 年来的新建站，可以说 2010 年至今为 CTERN 站网建设的大发展时期。目前，台站中建站时间最长（达到 50 年以上）的台站有 2 个，分别为甘肃民勤荒漠站（62 年，1959 年建站）和四川卧龙森林站（61 年，1960 年建站）。

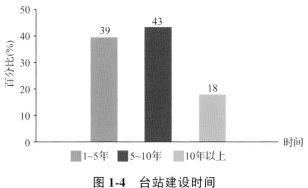

图 1-4　台站建设时间

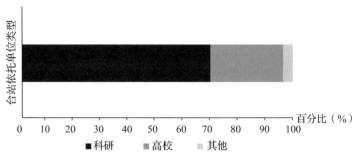

图 1-5 台站技术依托单位属性

从台站技术依托单位的归属性质看(图 1-5)，隶属于科研机构的台站有 142 个，约占台站总数的 70%，其中中央级科研机构的台站有 42 个，地方级科研机构的台站有 100 个。隶属于高校的台站有 53 个，约占总数的 26%。隶属于其他部门的有 7 个，约占总数的 3%。因此，各级科研机构成为生态站技术支撑的主力军。

(二) 人才队伍

CTERN 作为我国重要的生态定位观测研究网络平台，同时也是科研人才培养的重要基地，截至 2019 年年底，共有 3600 名科研和观测人员在站开展工作。其中，站长 202 名，副站长 259 名，工作人员 2729 名，客座人员 352 名，临时人员 58 名(图 1-6)。台站固定人员的比例达到 89%，形成了较为稳定的人员队伍。

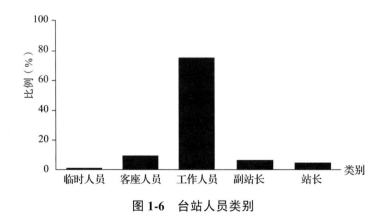

图 1-6 台站人员类别

台站人员有出生日期统计数据中（3550 人），年龄在 30 岁以下（1990—2019 年）的有 200 人，年龄在 30~50 岁（1970—1989 年）的有 2309 人，年龄在 50 岁以上（1969 年之前）的有 1041 人，台站人员的年龄按从小到大的比例约为 1∶7∶2，呈现纺锤形结构特点（图 1-7），年龄 30~50 岁的台站人员比例达到 65%。台站人员队伍为以中年人为主体的老中青相结合群体。

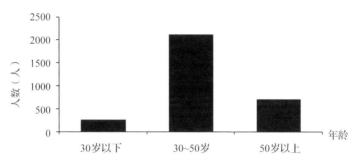

图 1-7　台站人员年龄结构

台站人员获得最高学位统计数据中（3565 人），最高学位为博士的有 1632 人，最高学位为硕士的有 851 人，最高学位为学士的有 812 人，其他的有 270 人。台站人员的学位（学历）结构从高到低比例为 7∶3∶3∶1，呈现倒三角形，约 70% 的台站人员具有研究生以上学历，台站人员群体具备较强的专业背景（图 1-8）。

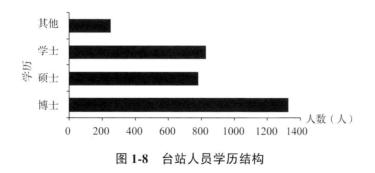

图 1-8　台站人员学历结构

台站人员获得职称统计数据中（3565 人），具有正高级职称 977 人，具有副高级职称 1165 人，具有中级职称 975 人，具有初级职称 191 人，其他 257 人，台站人员的职称结果从高到低比例为 12∶6∶1∶2，呈现倒三角形，约 60% 的台站人员具有高级职称，人员群体具备较高的研究水平（图 1-9）。总体上，中青年、研究生以上学历和高级职称人员成为 CTERN

的主要研究力量。

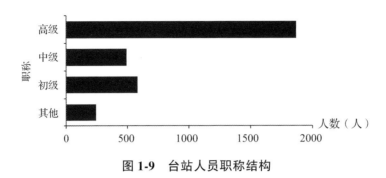

图 1-9　台站人员职称结构

截至 2019 年年底，CTERN 共培养人员 1676 名，其中本科生 82 人，硕士生 1195 人，博士生 369 人，博士后 20 人，其他 10 人。研究生以上学历人员达到 95% 以上。男生 799 人，女生 877 人，性别比例接近于 1∶1。当年入学人数 207 人，毕业人数 511 人。CTERN 以研究生以上学历的高层次人才为主要培养对象。

(三) 基础条件

截至 2019 年年底，有统计数据表明 CTERN 仪器设备类、建筑物类、观测交通工具类设施等基础条件建设的累计投资为 7.47 亿元(不包含野外观测设施投入)，资金来源有基本建设经费、运行经费、课题经费和其他来源经费，其中主要为国家基本建设投资经费，约占总投资的 70%。各类基础条件建设中，对台站仪器设备配置的投入力度最大，约占总投资的 60%(图 1-10)。

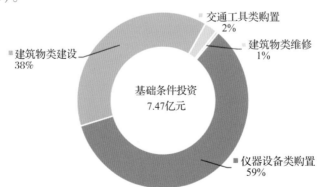

图 1-10　基础条件建设投资

1. 仪器设备类

截至 2019 年年底，CTERN 已采购各类仪器设备的数量总计 5426 台，其中分析类仪器设备 1474 台，约占总数的 27%。观测类仪器设备 3374 台，约占总数的 62%。其他类仪器设备 578 台，约占总数的 11%（图 1-11）。

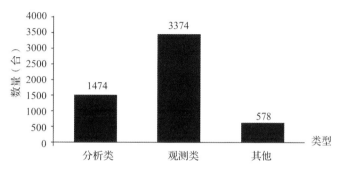

图 1-11　不同类型仪器设备数量

仪器设备原值达到 4.65 亿元，其中分析类仪器设备原值 1.29 亿元，约占总值的 28%。观测类仪器设备原值 3.23 亿元，约占总值的 69%。其他仪器设备原值 0.13 亿元，约占总值的 3%（图 1-12）。

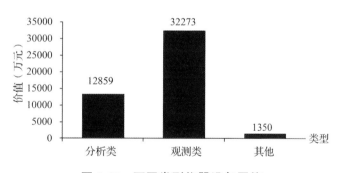

图 1-12　不同类型仪器设备原值

因此，无论是数量还是总值上，观测类仪器设备为台站购置的主要类型。仪器设备购买资金来源主要为基本建设经费和课题经费，两者合计占总购买经费的 90%。

原值 5 万元以下的小型仪器设备有 3471 台，约占总数的 64%，原值合计 0.45 亿元，约占总值的 10%。原值 5 万~50 万元的中型仪器设备有 1808 台，约占总数的 33%，原值合计 2.99 亿元，约占总值的 64%。原值 50 万元以上的大型仪器设备有 147 台，约占总数的 3%，原值合计 1.21 亿元，约占总值的 26%。总体上看，5 万~50 万元的中型仪器设备为目前

CTERN 主要仪器设备。

仪器设备年均累计开机时间为 171 天，分析类仪器设备年均累计开机时间为 91 天；观测类仪器设备年均累计开机时间为 209 天，其他仪器设备年均累计开机时间为 158 天(图 1-13)。

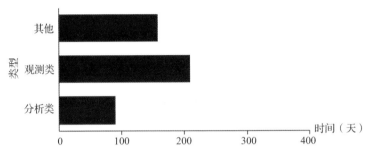

图 1-13　仪器设备年均累计开机时间

有近九成的仪器设备为近 10 年启用，95% 的仪器设备处于正常使用状态，有 4% 的仪器设备进行过维修，有 1% 的仪器设备报废注销(图 1-14)。

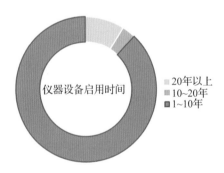

图 1-14　仪器设备启用时间

2. 建筑物类设施

截至 2019 年年底，CTERN 已建成各类建筑物类设施总计 328 项，建筑总面积 28.35 万平方米，总投资 2.97 亿元。其中综合用房 164 项，建筑面积 9.47 万平方米，投资 2.12 亿元。科研用房 120 项，建筑面积 17.41 万平方米，投资 0.72 亿元。食宿用房 25 项，建筑面积 0.46 万平方米，投资 0.11 亿元。其他用房 19 项，建筑面积 1.01 万平方米，投资

0.02 亿。

综合和科研用房在数量上占总数的 87%，面积上占总面积的 94%，投资上占总投资的 88%，这两类建筑物成为台站用房建设的主要类型。建设资金的来源主要是国家基本建设经费，约占总投资的 80%。

建筑物单体的建设情况分析，小型建筑物（建筑面积在 200 平方米以下）有 132 项，建筑总面积 0.79 万平方米，中型建筑物（建筑面积在 200~600 平方米）有 16 项，建筑总面积 4.47 万平方米，大型建筑物（建筑面积在 600~1000 平方米）有 58 项，建筑总面积 3.73 万平方米，超大型建筑物（建筑面积在 1000 平方米以上）有 18 项，建筑总面积 19.29 万平方米。可见，CTERN 全网绝大部分台站的建筑物还是以中、小型为主，约占台站建筑物数量的 78%（图 1-15）。

有 94% 建筑物类设施为近 20 年内建成，其中近 10 年时间建成的有 248 项，占总数的 77%（图 1-16）。

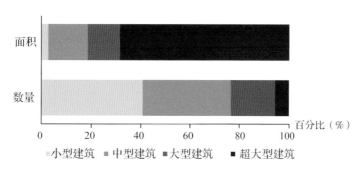

图 1-15　建筑物单体建设情况

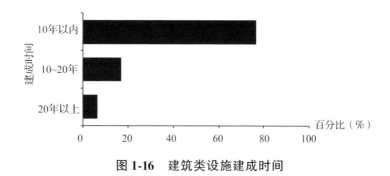

图 1-16　建筑类设施建成时间

3. 观测交通工具类设施

截至 2019 年年底，CTERN 已采购各类型车辆、船只等用于野外工作

交通工具类设施(租用数量未列入)总数量为 108 台,采购总金额为 1889
万元。其中,野外观测用车 55 台,采购金额 825 万元;观测船只 18 台,
采购金额 637 万元;皮卡 12 台,采购金额 168 万元;专用车 13 台,采购
金额 207 万元;其他 10 台,采购金额 52 万元。野外观测用车和观测船只
等作为野外观测、调查、采样等必需交通工具,为台站交通工具类设施的
主要类型,数量上约占总量的 68%,采购金额约占总金额的 77%。

购买资金来源主要为其他来源经费,约占总投资的 57%,其次为国家
基本建设经费,约占总投资的 40%。约有 79% 的观测交通工具类设施为近
10 年采购(图 1-17)。

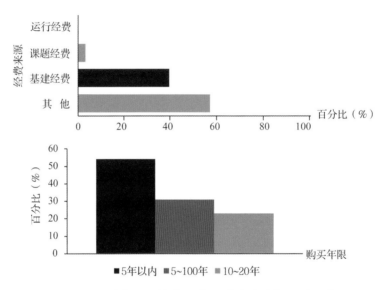

图 1-17　观测交通工具类设施采购资金来源及购买年限

(四) 平台建设

截至 2019 年年底,CTERN 已在野外建成各类大小规模的观测设施总
计 7811 个,覆盖面积 51.41 万公顷。其中用于观测生物指标的设施 6244
个,观测水文指标的设施 894 个,观测气象指标的设施 395 个,观测土壤
指标 223 个,综合观测设施 55 个。从数量上看,生物和水文类为建设的
主要类型,约占观测设施总数的 91%(图 1-18)。

CTERN 共建有各类型观测塔 128 个,台站观测塔建设率为 44%。共
建有观测井 64 个,台站观测井建设率为 11%。共建有水量平衡场 47 个,

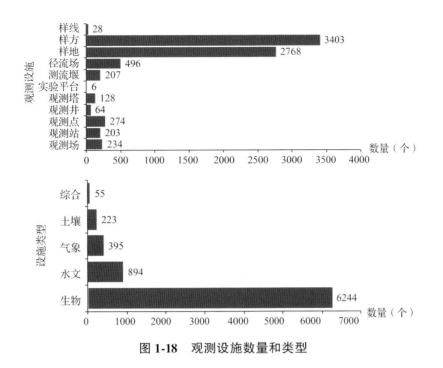

图 1-18　观测设施数量和类型

台站水量平衡场建设率为 11%。共建有生物大样地（10 公顷以上）121 个，台站大样地建设率为 9%。共建有气象观测场（站）260 个，台站气象观测场（站）建设率为 72%。共建有测流堰（集水区）207 个，台站测流堰（集水区）建设率为 46%。总体上看，全网约有四分之三的台站建设有气象观测场（站），有近半数的台站建设有测流堰（集水区）和观测塔。

截至 2019 年年底，CTERN 有 138 个台站在采样（观测）点进行了土壤样品采集，共采集土壤样品 9822 份，总保存量 2918 千克，土壤样品采集率 68%。

有 93 个台站在样地内（外）进行了植物样品采集，共采集植物样品 5191 份，总保存量 478 千克，采集的主要部位为植物叶片和地上部分。植物样品的采集率为 46%，大部分的植物样品在样地内采集（65%）。

有 85 个台站共制作并保存植物标本 5419 份，保存形态以蜡叶标本为主，植物标本的保存率为 42%。共保存动物标本 2113 份，动物标本的保存率为 27%。

有 55 个台站共采集土壤剖面 757 个，主要保存了整段剖面和浅层标本，土壤剖面标本采集率 27%，保存方式主要以塑料密封袋作为保存介质进行保存。

（五）观测数据

开展长期定位观测并积累数据是生态站的首要基本任务，截至 2019 年年底，CTERN 多数生态站基本具备对水文、土壤、植被和大气的各种要素综合观测能力，收集、保存并定期提供数据信息，通过中国陆地生态系统定位观测研究站网数据平台进行汇交。该数据平台于 2017 年开始启用，目前存储的观测数据量约为 150GB。

2020 年度汇交（2019 年数据）观测记录数量为 471.73 万条，其中，气象类观测记录 195.89 万条，水文类观测记录 78.46 万条，土壤类观测记录 26.58 万条，生物类观测记录 16.97 万条（图 1-19）。气象类观测数据的存储量约占总存储量的三分之二。这主要是受数据获取的频次影响。土壤和生物类数据是具有林业行业特色的数据资源，建议重视和加强生物和土壤类观测设施的建设和维护，加强此类数据的获取和积累。

从资源类型看，森林站观测记录 256.39 万条，竹林类观测记录 6.85 万条，湿地类观测记录 52.89 万条，荒漠类观测记录 90.47 万条，城市类观测记录 65.13 万条（图 1-20）。

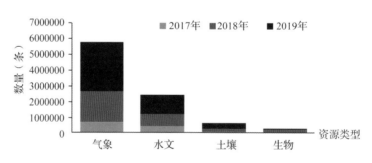

图 1-19　生态观测记录数量

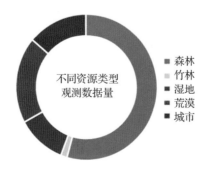

图 1-20　不同资源类型观测数据量（条）

（六）成果产出

截至 2019 年年底，全网共承担国家各类科研项目 1451 项，其中主要为国家和省部级项目和课题，近 9 成的台站有科研项目和相关研究经费，但台站间课题的数量和经费差异较大。2019 年依托生态站共发表学术论文 2006 篇，其中 SCI 和 CSCD 收录论文约占 70%，近 9 成的台站均有论文发表，台站间数量差异较大；共出版著作 96 部（3742 万字），取得软件著作权 93 项，获得专利 281 项，制定标准 36 项（主要是地方标准），获得各类奖励 172 项（主要是省部级奖励和社会奖励）。发布《中国森林生态服务功能评估》、《退耕还林工程综合效益监测国家报告》（2013—2017 年）、《天然林资源保护工程东北、内蒙古重点国有林区效益监测国家报告（2015）》、《中国国际重要湿地生态状况报告》等。

二、 主要观测结果

本报告主要基于中国陆地生态系统定位观测研究站网（CTERN）的长期定位观测数据，结合国家林业和草原局、中国气象局、农业农村部、水利部有关业务司局的专项调查数据，国家、省（自治区、直辖市）、县的统计数据，国内外的遥感和地理空间信息数据，开展了森林、湿地、荒漠、草原、城市、竹林六大类生态系统的综合分析研究。其中 CTERN 长期定位观测数据包括分布于全国典型生态区的森林、草原、湿地、荒漠、竹林、城市六大体系 202 个生态站在生态系统水、土、气、生方面的数据；专项调查数据包括国家林业和草原局森林资源司的九次森林资源（含竹林）连续清查的数据，荒漠化司发布的四次全国荒漠化、沙化监测数据，湿地司发布的两次全国湿地资源调查数据，城市的生态资源本底数据，草地植被调查数据，国家级、省级统计数据，生态站所在地的相关部门调查统计数据，中国气象局发布的最近 30 年气象数据，水利部的水资源数据；遥感和地理空间信息数据包括中国 GF 系列卫星、美国 Landsat 和 Terra 等卫星的时间序列观测数据，自然资源部中国基础地理信息数据。

（一）中国森林生态系统质量稳步提升

本报告主要从森林资源及其服务功能两个方面入手，分别在国家尺度、流域尺度、经济地区尺度及省级层面分析了中国森林资源及其生态服务功能的时空变化规律。首先，基于 1973—2018 年国家林业局开展的 9 次全国森林资源连续清查结果，阐述了我国 40 多年来森林资源的变化情况，并对其变化原因进行了初步分析。其次，依托国家现有森林生态系统国家定位观测研究站和国内的其他林业监测点，采用长期定位观测技术和分布式测算方法，定期对中国森林生态系统服务进行全指标体系观测与清查，它与国家森林资源连清数据相耦合，从涵养水源、保育土壤、固碳释氧、净化大气和生物多样性等方面，首次连续、动态地评估了我国森林生态系统服务功能。

1. 森林面积、蓄积量、生态功能稳步增长

自第一次全国森林资源清查以来，我国森林面积的变化如图 2-1 所示，从第二次清查期开始，到第九次清查期，我国森林面积增长了 1.05 亿公顷，增长幅度为 91.23%；我国森林蓄积量变化由图 2-2 所示，由第二次清查期的 90.28 亿立方米，增加到第九次清查期的 175.60 亿立方米，增加量为 85.32 亿立方米，增幅为 94.51%；森林生态系统服务功能变化则由表 2-1 所示，森林生态系统服务价值量从 2008 年年末的 10.01 万亿元/年，增长到 2013 年年末的 12.68 万亿元/年，再到 2018 年年末的 15.88 万亿元/年，增长幅度分别为 26.67% 和 25.24%。这些变化均得益于促进我国森林资源保护和发展的林业政策以及林业生态工程的顺利实施。

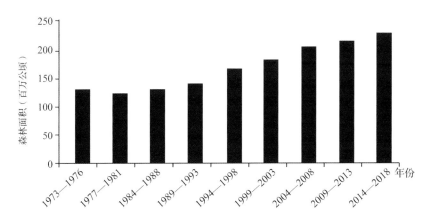

图 2-1　历次清查全国森林面积

表 2-1　2004—2018 年全国森林生态服务功能价值量评估结果　　万亿元/年

清查期	第七次	第八次	第九次
生态服务功能价值量	10.01	12.68	15.88

第七次至第九次清查期间，其森林面积分别较上一次增长的幅度为 6.26%、6.14%；林分蓄积量分别较上一次增长的幅度为 10.32%、16.01%。由此可以看出，森林数量（面积）的增加和森林质量（林分蓄积量）的提升，极大地促进了森林生态功能的增长。

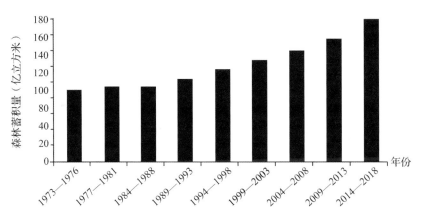

图 2-2　历次清查全国森林蓄积量

　　全国森林生态系统服务功能价值量不断增长原因除了上述的森林面积（森林数量）增加的因素外，还与以下因素关系密切：其一是林龄结构更趋于合理化，效益发挥更加显著。五个龄组中，中龄林、近熟林和成熟林的生态功能大于幼龄林和过熟林。第七次森林资源清查期间，中龄林、近熟林和成熟林面积所占比重为 60.27%，而到第八次森林资源清查期间评估时，这一比例上升至 61.18%；其二是评估指标体系和评估公式更加完善，本次评估增加了森林防护和森林游憩功能的评估项。此外，还对生物多样性保育功能评估公式进行了修正，加入了濒危指数、特有种指数和古树指数；其三是社会公共价格的变化，由于近年来经济发展迅速以及价格的飞涨，上次评估的许多价格已经提升。这种价格的变化主要体现在固土保肥和林木养分固持功能中。第七次森林清查期我国森林主要生态功能价值量分布极不均匀，整体看来，北部地区和南部地区价值量较高，中原地区和西部地区森林生态服务功能价值量较低。第八次森林清查期我国森林主要生态功能价值量分布与上次分布基本一致，整体看来，北部地区和南部地区价值量仍较高，但中原地区和西部地区森林生态服务功能价值量增长较快。森林面积的增长主要来源于林业生态工程的造林活动，第二次至第九次清查期间，我国造林总面积达到了 2.28 亿公顷（表 2-2），历次清查期间造林面积占我国造林总面积的比例分别为 9.85%、14.41%、12.19%、11.10%、13.98%、9.81%、13.11% 和 15.55%。从表中数据可以看出，随着我国经济社会的不断发展，人们越来越注意到森林的重要性，造林面积不断扩大，目前我国人工林面积居于世界首位，这些工程和林业政策的实施对造林工作具有极大的推动作用。

表 2-2 我国历次清查期间造林面积

万公顷

清查期	第二次	第三次	第四次	第五次	第六次	第七次	第八次	第九次
面　积	2244.09	3281.19	2776.01	2529.26	3184.88	2233.60	2986.47	3541.53

注：第二次和第三次清查期间的造林面积为国营造林面积。

经查询相关统计资料（表 2-3），1979—1987 年生态工程造林面积为 1790.54 万公顷；从第四次清查期间开始，历次清查期间生态工程造林面积分别为 991.37 万公顷、1474.52 万公顷、2475.50 万公顷、1688.98 万公顷、2428.96 万公顷和 1762.57 万公顷，分别占同期造林面积的 35.71%、58.30%、77.73%、75.62%、81.33% 和 49.77%。另外，天然林资源保护工程、退耕还林工程、京津风沙源治理工程、三北及长江流域等重点防护林体系工程和速生丰产用材林建设工程造林面积所占比例分别为 9.59%、12.54%、3.95%、25.14% 和 4.16%。从以上数据中可以看出，三北及长江流域等重点防护林体系工程、退耕还林工程和天然林资源保护工程对于我国森林面积的增长所起到的作用最大。

表 2-3 全国重点林业生态工程造林面积

万公顷

时　间	天然林资源保护工程	退耕还林工程	京津风沙源治理工程	三北及长江流域等重点防护林体系工程	速生丰产用材林建设工程
1979—1987 年	—	—	—	1334.53	456.01
第四次	—	—	13.28	926.59	51.50
第五次	29.04	—	92.09	1156.34	197.05
第六次	339.64	1262.23	221.00	608.53	44.10
第七次	358.30	841.22	207.52	272.34	9.60
第八次	872.85	388.37	258.69	908.58	0.47
第九次	584.35	363.47	107.74	518.18	188.83

各林业生态工程的实施，在增大了森林面积的同时，也提升了我国森林蓄积量。例如：天然林资源保护工程的实施，使得我国防护林面积所占比重逐年上升，从第一次清查期的 7.41% 上升到了第八次清查期的 48.49%，这对我国森林蓄积量的增长提供了重要的基础。自天然林资源保护工程实施以来，我国天然林资源得到了有效保护和发展，天然林面积从 1988 年的 8846.59 万公顷逐年稳步增长到 2008 年的 11969.25 万公顷，蓄积量从 75.62 亿立方米增长到 114.02 亿立方米。

2.40 多年间森林生态系统固碳量增长 2.59 亿吨/年

森林作为陆地生态系统的主体，是系统中最大的碳库，森林植被通过光合作用可有效吸收二氧化碳，完全属于自然过程，具有碳汇成本低、生态附加值高、碳汇量大等特点。从图 2-3 中可以看出，我国森林生态系统固碳量呈现出不断提升的趋势，从第二次森林资源清查期间的 1.75 亿吨/年提升到第九次森林资源清查期间的 4.34 亿吨/年，增长了 2.59 亿吨/年，增长幅度为 148.00%。

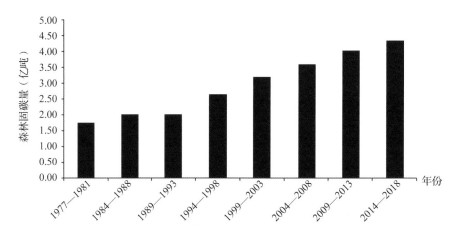

图 2-3　历次森林资源清查期间森林生态系统固碳量

森林碳汇已被国际社会广泛认为是碳中和的最有效手段，我国通过诸多林业生态工程，实施大面积造林和天然林资源的保护和修复，森林资源得到了有效的保护和发展。2019 年我国单位国内生产总值二氧化碳排放比 2015 年和 2005 年分别下降约 18.2% 和 48.1%，2018 年森林面积和森林蓄积量分别比 2005 年增加 4509 万公顷和 51.04 亿立方米，成为同期全球森林资源增长最多的国家。通过不断努力，中国已成为全球温室气体排放增速放缓的重要力量。2018 年我国森林固碳量为 4.34 亿吨。折合成二氧化碳量为 15.91 亿吨，同期全国二氧化碳排放量为 100 亿吨，那么全国森林通过固碳功能吸收了全国二氧化碳排放量的 15.91%，起到了显著的绿色减排作用。

我国林业生态工程和诸多林业政策的实施，对于森林生态系统固碳能力的提升起到了非常重要的作用。由此，我国森林资源进入了数量增长、质量提升的稳步发展时期。森林资源的变化，一定会对森林生态功能产生影响。随着我国国民经济的不断发展，保护和发展森林资源也随着国家经济建设的需要发生了改变。在林业可持续发展战略的指导下，我国林业经营的目的已从木材利用为主，转变为了木材利用的同时要兼顾生态效益的发挥。在第五次清查期之前，所实施的林业生态工程只有京津风沙源治理工程、三北及长江流域等重点防护林体系工程、速生丰产用材林建设工程，其中三北及长江流域等重点防护林体系工程的造林面积最大，占到了总造林面积的90%以上，所以第五次清查期之前我国森林生态系统固碳量增长的最大驱动力是三北及长江流域等重点防护林体系工程。我国自第五次清查期之后，逐渐启动了退耕还林、天然林资源保护等林业重大生态工程，森林资源开始稳步提升，进而带来了我国森林生态系固碳能力的增强。

目前，我国人工林面积达7954.29万公顷，为世界上人工林最大的国家，其面积约占天然林的57.36%，但单位面积蓄积生长量为天然林的1.52倍，说明我国人工林在森林碳汇方面起到了非常重要的作用。另外，据研究表明，中幼龄林处于高生长阶段，具有较高的固碳速率，目前，我国森林资源中幼龄林面积占森林面积的60.94%，说明中幼龄林碳汇量占据了森林碳汇量的主体地位。

3. 重点林业生态工程区生态效益显著提升

新中国成立前，由于种种历史原因和自然灾害的影响，我国森林资源破坏非常严重，其总体呈现总量不足，且质量低下的局面。由此，带来了全国生态状况的不断恶化。新中国成立后，党和政府高度重视林业建设，颁布了诸多的林业政策，实施了林业生态工程，对于保护和发展森林资源起到了积极的促进作用，森林资源数量和质量不断提升。20世纪90年代末，我国遭受了由于森林资源破坏所带来的种种自然灾害，人们开始认识到森林资源对环境保护、生态建设的重要作用，中央决定开始实行退耕还林、天然林资源保护等林业生态工程，国家林业局加大了森林资源采伐管理力度，严格控制森林采伐审批制度。森林资源的滥砍乱伐现象得到了有效控制，实现了我国以保护森林资源为主、合理利用为辅的森林经营体制。

以长江和黄河流域为例，我国实施的林业生态工程大部分集中在这两个区域，例如，退耕还林工程在长江中上游和黄河中上游造林面积分别为924.06万公顷和725.09公顷。另外，退耕还林工程在北方沙化土地区造林面积为1592.29万公顷，其中在沙化土地上的造林面积401.10万公顷，严重沙化土地上造林面积为 300.61 万公顷。截至 2013 年，防风固沙型生态功能区（新疆、内蒙古、宁夏、甘肃、陕西）的森林面积为 723.00 万公顷，退耕还林工程在沙化土地造林面积和严重沙化土地造林面积分别占防风固沙型功能区森林面积的比重分别为 42.33% 和 38.87%，这足以说明我国退耕还林工程起到了及其重要的防风固沙功能，为我国的生态环境建设发挥了积极的作用。

根据流域流经省份的评估结果显示：

（1）长江经济带森林生态系统服务功能处于不断提升过程中，基于第九次森林资源清查数据，长江经济带森林生态系统服务功能价值量为 5.66 万亿元/年，占全国森林生态系统服务功能价值量的 35.64%。长江经济带各省份森林生态系统服务功能价值量排序为云南、四川、湖南、江西、湖北、贵州、浙江、安徽、重庆、江苏和上海，各省份森林生态系统服务功能价值量占长江经济带价值量的比重分别为 22.16%、19.55%、12.58%、9.87%、9.35%、7.61%、7.30%、4.85%、4.41%、2.13% 和 0.18%。

（2）黄河流域的森林生态系统服务功能以中游区域最为突出，基于第九次森林资源清查数据，黄河流域森林生态系统服务功能价值量为 9403.04 亿元/年，各省份森林生态系统服务功能价值量排序为陕西、河南、山西、内蒙古、甘肃、青海、山东、宁夏和四川，各省份森林生态系统服务功能价值量占黄河流域价值量的比重分别为 23.00%、21.49%、15.50%、11.31%、7.68%、7.55%、6.59%、4.10% 和 2.78%。

（二）中国湿地生态健康显著改善

面对严峻的湿地保护形势，我国出台了一系列的湿地保护修复措施，取得了显著的保护成效，促进了我国湿地生态健康状况的改善。第一次和第二次湿地资源调查期间，我国湿地生态健康综合指数分别为 0.505 和 0.542；两次湿地资源调查周期内我国湿地生态健康综合指数提高了 7.2%；绝大多数省份湿地生态健康综合指数均呈现升高趋势，特别是长江中游、青藏高原东部和北部的省份增长明显。国家级湿地保护地体系建设稳步推进，已经初步形成比较完善的湿地保护体系；截至 2020 年，我国已经设立了湿地类国家级自然保护区 131 处、国家湿地公园 899 处、国家城市湿地公园 57 处、国家级水产种质资源保护区 492 处，国际重要湿地数量达 64 处。

1. 湿地生态健康综合指数 10 年提高 7.2%

以我国湿地生态系统(包括沼泽、湖泊水库和河流 3 种类型)为研究对象,构建了湿地生态健康综合评价指标体系(表 2-5),利用综合因子模型分析了我国第一次湿地资源调查(1995—2003 年)到第二次湿地资源调查(2009—2013 年)的湿地健康时空动态变化。

表 2-5 中国湿地生态健康综合评价指标

一级指标	二级指标	评价方法	数据来源
物理指标	湿地率	湿地面积/评估区面积	中国生态系统评估与生态安全数据库
	自然湿地率	自然湿地面积/湿地面积	中国湿地资源系列图书,中国生态系统评估与生态安全数据库
	斑块密度	湿地斑块数/湿地面积	中国生态系统评估与生态安全数据库
生物指标	物种丰度	物种数量/湿地面积	中国湿地资源系列图书,中国生态系统评估与生态安全数据库
	植被生物量	—	中国生态系统评估与生态安全数据库
	生物多样性	权重累计求和	中国湿地资源系列图书
	国家重点保护物种	种类累加	中国湿地资源系列图书
	湿地外来入侵物种	种类累加	中国湿地资源系列图书
化学指标	土壤污染物	种类累加	《中国环境状况公报》
	湖泊(水库)富营养化率	富营养化湖泊(水库)数量/湖泊(水库)调查总数量	《中国环境状况公报》
	地表水Ⅲ类及以上水质比率	地表水Ⅲ类及以上水质断面数量/地表水水质监测断面数量	《中国环境状况公报》

第一次和第二次湿地资源调查期间,我国湿地生态健康综合指数分别为 0.505 和 0.542,均为Ⅲ级水平。两次调查期间,我国湿地生态健康综合指数提高了 7.2%。除部分省份外,绝大多数省份湿地生态健康综合指

合指数提高了 7.2%。除部分省份外，绝大多数省份湿地生态健康综合指数均呈现升高趋势，其中长江中游（湖南 109.0%，湖北 40.7%）、青藏高原东部和北部（甘肃 76.9%，四川 70.1%，青海 64.9% 和新疆 47.7%）地区增长较大（表 2-6）。

另外，湿地生态健康综合指数呈现明显的空间变化（表 2-6）。第一次调查期间，南部省份（福建、海南、广西和广东）、中部和东部省份（浙江、江西和上海）、西南部省份（贵州、重庆、西藏）和黑龙江湿地生态健康综合指数较高，达到 Ⅲ 级水平（表 2-6）。第二次调查期间，福建省湿地生态健康综合指数最高，其次为浙江，均达到 Ⅱ 级水平（表 2-6）。

第一次到第二次湿地资源调查期间，湿地生态健康生物和化学指数也呈现增长趋势，而物理指数的 Ⅰ 级水平比例呈现降低趋势。物理、生物和化学指数 Ⅴ 级水平比例均降低。3 种指数也呈现明显的空间变化。物理指数较高值主要分布在上海、广东和辽宁；生物指数较高值主要分布在云南、福建、浙江、广西和贵州；化学指数较高值主要分布在西藏、青海和湖南。

表 2-6　中国各省份湿地生态健康综合指数

区域	湿地生态健康综合指数				变化（%）
	第一次调查期间	等级	第二次调查期间	等级	
北京	0.334	Ⅳ	0.394	Ⅳ	18.1
天津	0.342	Ⅳ	0.435	Ⅲ	27.4
河北	0.363	Ⅳ	0.472	Ⅲ	30.2
山西	0.346	Ⅳ	0.451	Ⅲ	30.2
内蒙古	0.220	Ⅳ	0.254	Ⅳ	15.1
辽宁	0.314	Ⅳ	0.393	Ⅳ	25.1
吉林	0.340	Ⅳ	0.352	Ⅳ	3.4
黑龙江	0.409	Ⅲ	0.386	Ⅳ	-5.7
上海	0.427	Ⅲ	0.429	Ⅲ	0.4
江苏	0.305	Ⅳ	0.399	Ⅳ	30.8
浙江	0.525	Ⅲ	0.627	Ⅱ	19.4
安徽	0.364	Ⅳ	0.461	Ⅲ	26.7
福建	0.577	Ⅲ	0.675	Ⅱ	17.0
江西	0.447	Ⅲ	0.421	Ⅲ	-5.8
山东	0.311	Ⅳ	0.355	Ⅳ	14.3

（续）

区域	湿地生态健康综合指数				变化（%）
	第一次调查期间	等级	第二次调查期间	等级	
河南	0.357	Ⅳ	0.505	Ⅲ	41.3
湖北	0.342	Ⅳ	0.481	Ⅲ	40.7
湖南	0.252	Ⅳ	0.527	Ⅲ	109.0
广东	0.461	Ⅲ	0.471	Ⅲ	2.2
广西	0.547	Ⅲ	0.506	Ⅲ	-7.6
海南	0.561	Ⅲ	0.472	Ⅲ	-15.8
重庆	0.441	Ⅲ	0.514	Ⅲ	16.6
四川	0.266	Ⅳ	0.453	Ⅲ	70.1
贵州	0.509	Ⅲ	0.563	Ⅲ	10.6
云南	0.391	Ⅳ	0.536	Ⅲ	37.3
西藏	0.429	Ⅲ	0.512	Ⅲ	19.3
陕西	0.318	Ⅳ	0.384	Ⅳ	20.8
甘肃	0.261	Ⅳ	0.461	Ⅲ	76.9
青海	0.279	Ⅳ	0.460	Ⅲ	64.9
宁夏	0.450	Ⅲ	0.478	Ⅲ	6.4
新疆	0.255	Ⅳ	0.376	Ⅳ	47.7
全国	0.505	Ⅲ	0.542	Ⅲ	7.2

2. 中国滨海湿地生态系统服务价值

以 2017 年为基准年，基于滨海湿地生态系统服务价值评价指标和评价方法体系，对我国滨海湿地生态系统服务价值进行了评价。我国滨海湿地生态系统服务总价值为 19284.22 亿元/年，其中，江苏滨海湿地生态系统服务价值最高，占全国滨海湿地生态系统服务价值的比例为 18.82%，其次为广东、山东、辽宁和浙江，上述 5 省滨海湿地生态系统服务价值总和占到全国滨海湿地生态系统服务价值的 70.40%（图 2-4 和 2-5）。

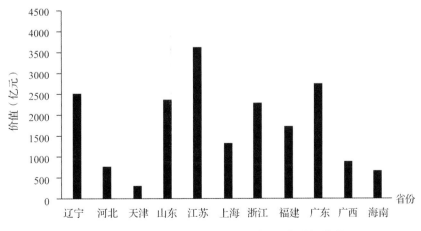

图 2-4　中国各省份滨海湿地生态系统服务价值

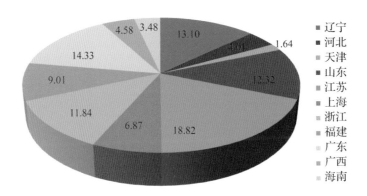

图 2-5 中国各省份滨海湿地生态系统服务价值所占比例(％)

对滨海湿地生态系统不同类型的服务价值进行分析,滨海湿地生态系统三大服务价值及其所占比例见图 2-6。三大生态系统服务价值中,调节服务所占比例最高,为 56.27%,其次分别为供给服务 34.62% 和文化服务 9.11%。调节服务功能中,调蓄洪水功能的价值最高,为 2428.44 亿元/年,其次为气候调节、固碳和消浪护岸功能(图 2-7)。供给服务功能中,食物供给功能价值最高,为 4725.45 亿元/年,其次为航运和淡水供给功能。文化服务中,休闲旅游价值为 1352.56 亿元/年,大于科研教育价值 404.74 亿元/年。

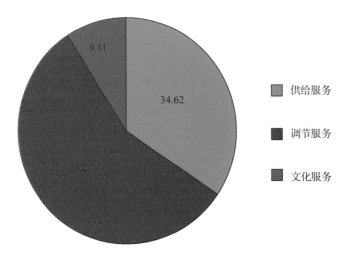

图 2-6 中国滨海湿地生态系统不同类型服务价值所占比例(％)

我国滨海湿地生态系统服务价值巨大。未来保持滨海湿地生态系统服务价值,发掘新的服务价值增长点至关重要。在权衡各项生态系统服务的基础上,需要保护好现有的滨海湿地资源,确保湿地生态系统服务价值不

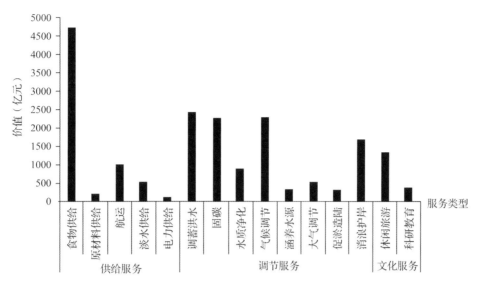

图 2-7 中国滨海湿地生态系统不同类型服务的价值

降低；同时需要开展湿地资源的合理利用，提高湿地生态系统服务的附加值，最终实现提高滨海湿地生态系统服务价值的目的。

3. 国家级湿地保护地体系建设稳步推进

1992 年加入《关于特别是作为水禽栖息地的国际重要湿地公约》以来，我国湿地保护工作受到了越来越多的关注，并取得显著成效。2000 年，我国编制完成了第一份《中国湿地保护行动计划》，2004 年又发布了《全国湿地保护工程实施规划（2005—2030 年）》，2016 年，国务院办公厅全文公布《湿地保护修复制度方案》。经过多年的探索实践，我国的湿地保护事业经过了单一湿地保护地阶段、探索发展阶段和快速增长阶段，已经初步形成比较完善的湿地保护体系。截至 2019 年，我国已经设立了 736 处湿地类自然保护区（包括湿地类国家级自然保护区 131 处）、899 处国家湿地公园、57 处国家城市湿地公园、535 处国家级水产种质资源保护区等（图 2-8）；国际重要湿地数量也已经达到 64 处。其中，湿地类国家级自然保护区总面积约 28.33 万平方公里，国家湿地公园约 3.64 万平方公里，国家城市湿地公园约 0.13 万平方公里，国家级水产种质资源保护区约 13.30 万平方公里。近些年全国湿地总面积基本稳定在 0.53 亿公顷，到 2019 年我国的湿地保护率已达 52.19%。中国湿地保护地建设密度较高的区域主要包括湖南、湖北、江苏、浙江、上海、安徽、江西、山东、河南、贵州和陕西等地，并在长江中下游围绕武汉、长沙和杭州形成了三个高密度建

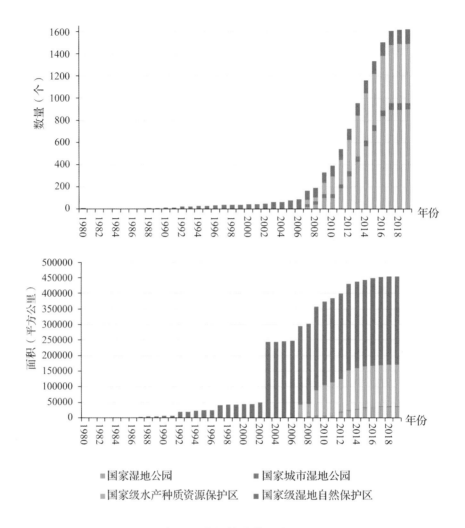

图 2-8 中国湿地保护地体系发展历程

设热点地区(图 2-9)。

建议以国家公园体制建设为契机，加快湿地保护地体系的优化整合，准确定位各类湿地保护地的保护目标，有效引导其建设管理，由数量增长向质量提升转变，推进其高质量建设布局。开展"自上而下"的以湿地保护地体系建设布局探索，在条件成熟的湿地保护地集中分布区，优先开展湿地保护网络、国家公园的建设试点。关注湿地类型和空间布局的建设空缺，在湿地受威胁程度较高但保护薄弱的滨海区、云贵高原、西北干旱和半干旱等地区优化湿地保护地建设布局。

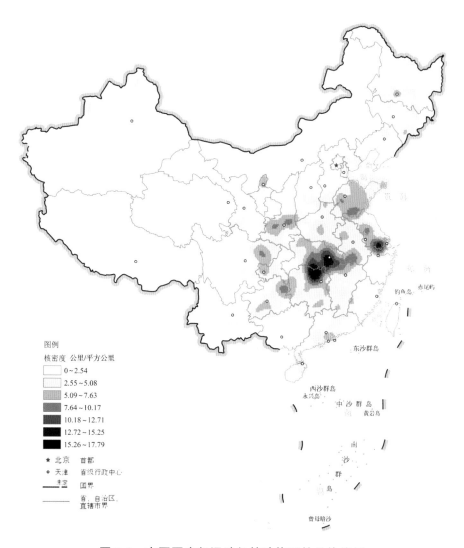

图 2-9　中国国家级湿地保护地体系的总体格局

（三）中国荒漠生态系统质升效增

近 20 年我国荒漠化治理成效显著。荒漠化和沙化面积持续减少，沙化逆转速度加快；荒漠化和沙化程度进一步减轻，极重度减少明显；沙区植被盖度增加，固碳能力增强；防风固沙能力提高，沙尘天气减少；超过 1/3 的可治理沙化土地得到有效治理，重点地区生态状况明显改善。我国已率先实现联合国 2030 年土地退化零增长目标，为全球荒漠化防治树立典范。我国荒漠生态系统服务价值从 2009 年的 3.08 万亿元增加到 2014 年的 4.23 万亿元。剔除价格上涨因素后，全国荒漠生态系统价值 5 年间实际增加 3.2%。荒漠生态系统提质增效主要体现在防风固沙、水文调控和土壤保育 3 个方面，其中近一半来自防风固沙服务效益的提升。荒漠区生态保护与经济增长的包容性更加协调、均衡发展。沙区特色产业逐步形成，群众收入明显增加。荒漠生态系统功能质量提升、服务效益增加，实现了生态保护与开发利用的双增长，但是荒漠生态系统的改善滞后于区域经济的快速增长。随着荒漠地区经济发展水平的提升、居民生态环境保护意识的提高，以及生态系统产品与服务变得更为稀缺，荒漠生态系统提升的速度势必将赶超经济增速，实现荒漠生态系统提质增效与经济增长高度均衡发展的良好态势。

1. 提前 10 年实现联合国 2030 年土地退化零增长目标

第五次全国荒漠化和沙化监测结果表明，截至 2014 年，全国荒漠化土地总面积 261.16 万平方公里，占国土总面积的 27.20%；沙化土地面积 172.12 万平方公里，占国土面积的 17.93%。自 2004 年以来，我国荒漠化和沙化状况已连续三个监测期"双缩减"，呈现整体遏制、持续缩减、功能增强、成效明显的良好态势（图 2-10）。

荒漠化和沙化面积持续减少，沙化逆转速度加快。2009—2014 年，荒漠化土地面积净减少 12120 平方公里，年均减少 2424 平方公里；沙化土地面积净减少 9902 平方公里，年均减少 1980 平方公里。自 2004 年（第三次监测）出现缩减以来，已连续第三个监测期出现"双缩减"。沙化土地年

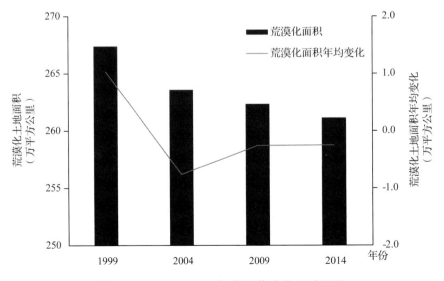

图 2-10　1999—2014 年我国荒漠化土地面积

均减少 1980 平方公里，与第四次监测年均减少 1717 平方公里相比，沙化逆转速度加快。

荒漠化和沙化程度进一步减轻，极重度减少明显。荒漠化和沙化程度呈现逐步变轻的趋势。从荒漠化土地看，2009—2014 年间，极重度、重度和中度分别减少 2.83 万、2.44 万和 4.29 万平方公里，轻度增加 8.36 万平方公里；从沙化土地看，极重度减少 7.48 万平方公里，轻度增加 4.19 万平方公里。极重度荒漠化和极重度沙化土地分别减少 5.03% 和 7.90%。

沙区植被盖度增加，固碳能力增强。2014 年沙区的植被平均盖度为 18.33%，与 2009 年的 17.63% 相比，上升了 0.7 个百分点；京津风沙源治理一期工程区植被平均盖度增加了 7.7 个百分点；我国东部沙区（呼伦贝尔沙地、浑善达克沙地、科尔沁沙地、毛乌素沙地和库布齐沙漠）植被盖度增加了 8.3 个百分点，固碳能力提高 8.5%。防风固沙能力提高，沙尘天气减少。与 2009 年相比，2014 年我国东部沙区土壤风蚀状况呈波动减轻的趋势，土壤风蚀量下降 33%，地表释尘量下降约 37%，其中植被对输沙量控制的贡献率为 18%~20%。沙尘天气也明显减少，5 年间全国平均每年出现沙尘天气 9.4 次，较上一监测期减少 2.4 次，降低 20.3%，北京地区减少 63.0%，风沙危害明显减轻。

超过 1/3 的可治理沙化土地得到有效治理，重点地区生态状况明显改善。截至 2014 年，实际有效治理的沙化土地为 20.37 万平方公里，占 53 万平方公里的可治理沙化土地的 38.4%。京津风沙源治理工程区和四大沙地等地区生态状况明显改善，京津风沙源治理一期工程区沙化土地减少 1486 平方公里，植被盖度平均增长 7.7 个百分点；四大沙地所在区域沙化土地减少 1685 平方公里，植被盖度增加 5~15 个百分点。

2015 年 9 月，联合国可持续发展峰会正式通过《2030 年可持续发展议程》，提出了 17 项可持续发展目标，目标 15 是"保护、恢复和促进可持续利用陆地生态系统，可持续管理森林，防治荒漠化，制止和扭转土地退化，遏制生物多样性的丧失"，其中目标 15.3 就关于荒漠化防治，即"到 2030 年，防治荒漠化，恢复退化的土地和土壤，包括受荒漠化、干旱和洪涝影响的土地，努力建立一个不再出现土地退化的世界"。我国已率先实现联合国 2030 土地退化零增长目标，为全球荒漠化防治树立典范。可把中国经验向全球范围推广，定期开展全球荒漠化监测评估，助推全球土地退化零增长目标的实现。

2. 生态服务价值由上一个 5 年期的每年 3.08 万亿元增值到 4.23 万亿元

荒漠生态系统是干旱半干旱地区的代表性生态系统类型，是指由旱生、超旱生的小乔木、灌木、半灌木和小半灌木及与其相适应的动物和微生物等构成的群落，与其生境共同形成物质循环和能量流动的动态系统。我国荒漠生态系统面积约为 165 万平方公里，占到全国国土总面积的 17%。荒漠生态系统的典型特点包括降水稀少、气候干燥、风大沙多、温差大、植被稀疏。荒漠生态系统服务是指人们从荒漠生态系统获得的各种惠益，主要包括防风固沙、土壤保育、水文调控、固碳、生物多样性保育、景观游憩等 6 类。

2014 年全国荒漠生态系统提供的生态服务价值为 42278.58 亿元。从生态服务类型来看，防风固沙是荒漠生态系统提供的最为重要的生态服务，其价值占到总价值的 40.1%，全年固沙量达到 $3.91×10^{10}$ 吨；其次是水文调控，占到总价值的 24.2%，在淡水提供、水源涵养和气候调节方面的价值共为 10236.04 亿元；土壤保育和固碳的价值相当，分别占到 18.1% 和 17.0%，全年约形成新土 151 亿立方米，保育 1.45 亿吨土壤有机质、1370 万吨土壤氮和 1560 万吨土壤磷，全年植被固碳 7.18 亿吨、土壤固碳 3000 万吨；生物多样性和景观游憩价值相对很低，两者之和不到总价值的 1%（表 2-7）。从地区来看，我国荒漠生态系统大部分位于内蒙古和新疆，两自治区分别提供了 34.4% 和 29.7% 的生态服务价值；其次是甘肃和西藏，提供的生态服务价值分别占到总价值的 12.6% 和 12.4%；其余 8 个省份提供的生态服务价值不到总价值的 11%。

表 2-7　2014 年中国荒漠生态系统服务价值

亿元

区域	防风固沙	土壤保育	水文调控	固碳	生物多样性保育	景观游憩	合计
内蒙古	5503.80	2362.23	4630.56	1992.26	19.31	19.88	14528.03
新疆	4201.94	3114.84	2213.29	2888.79	102.90	35.81	12557.57
甘肃	3144.40	1056.55	640.04	488.79	8.41	5.83	5344.03
西藏	3265.57	358.97	771.41	814.75	22.27	10.36	5243.34
河北	145.21	645.98	185.22	152.48	0.59	1.02	1130.49
青海	100.82	23.85	153.35	559.99	22.75	5.99	866.75
陕西	213.64	21.77	374.45	74.19	1.24	0.65	685.94

（续）

区域	防风固沙	土壤保育	水文调控	固碳	生物多样性保育	景观游憩	合计
宁夏	213.26	26.38	249.14	60.93	1.33	0.56	551.59
吉林	29.27	5.35	293.96	50.51	0.63	0.34	380.06
黑龙江	11.07	4.42	308.57	35.69	1.01	0.24	361.01
辽宁	34.39	4.19	246.08	39.38	0.41	0.26	324.71
山西	88.20	10.33	169.97	35.39	0.89	0.28	305.06
全国	16951.56	7634.84	10236.04	7193.15	181.76	81.22	42278.58

荒漠生态系统服务价值的变化受价格因素的影响较大。2009—2014年，全国荒漠生态系统服务价值从30840.43亿元（2009年价格）增加到42278.58亿元（2014年价格），增加了11438.16亿元。但是，其中有10450.34亿元是由于价格水平上涨了32.8%造成的。剔除价格上涨的影响后，按照2009年价格水平来换算，2014年全国荒漠生态系统价值为31828.24亿元，5年间实际增加了987.81亿元即增长3.2%，这部分增加源于荒漠生态系统生态服务的实物量增加。

荒漠生态系统提质增效主要体现在防风固沙、水文调控和土壤保育3个方面。2009—2014年荒漠生态系统服务的实际价值增加了987.81亿元（2009年价格）或1202.37亿元（2014年价格），其中47.5%来自防风固沙服务效益的提升，全国荒漠生态系统的年固沙量增加了12.3亿吨，特别是内蒙古5年间年固沙量增加了近9亿吨；有26.4%来自水文调控服务效益的提升；有17.9%来自土壤保育服务效益的提升，这是土壤保育和新土壤形成两方面生态服务权衡的结果。具体来看，在保育土壤养分方面增加了190.91亿元，但是在形成新土壤方面则减少了14.00亿元。此外，5年间荒漠生态系统的固碳服务效益略有提升，全国荒漠生态系统的年固碳量增加了6100万吨，贡献了生态服务总价值提升的7.8%。分地区来看，荒漠生态系统服务价值的增加主要发生在甘肃、内蒙古、西藏和新疆4个省份。

3. 荒漠区生态保护与经济增长的包容性更加协调、均衡发展

沙区特色产业逐步形成，群众收入明显增加。各地结合防沙治沙，建成了一批特色产业基地，沙区已营造经济林果540万公顷，年产干鲜果品5360万吨，占全国年产量的33.9%。特色林果业带动沙区种植、加工和

贮运产业的蓬勃发展，成为沙区经济发展的重要支柱和农民群众脱贫致富的拳头产业。其中，新疆特色林果年产值达 450 多亿元，全区农民人均林果收入达 1400 元；内蒙古林业总产值达到 245 亿元，人均增收 460 元。

荒漠生态系统的保护与开发利用程度存在地区性差异。荒漠生态系统的地理范围涉及 12 个省份，涵盖新疆全境，内蒙古、西藏、青海、甘肃、宁夏的绝大部分，而其他 6 个省份只有小部分位于荒漠生态系统范围内。2014 年全国荒漠生态系统服务价值与这 12 个省份 GDP 总和的比值为 0.27（图 2-11）。分地区来看，2014 年西藏和新疆的发展均衡指数大于 1，分别为 5.69 和 1.35，表明其荒漠生态系统具有进一步开发利用的潜力；内蒙古和甘肃的发展均衡指数接近于 1，分别为 0.82 和 0.78，表明其荒漠生

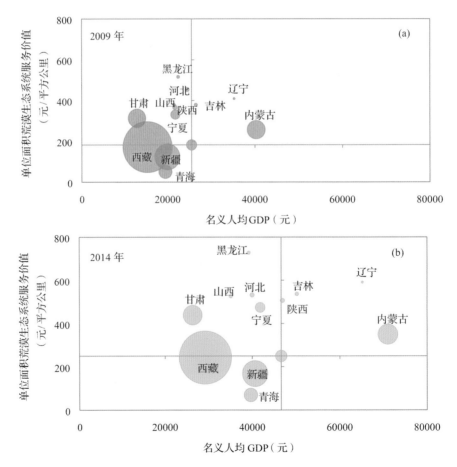

图 2-11　2009 年（a）和 2014 年（b）12 个省份荒漠生态保护与
经济增长的均衡度

注：气泡大小表示荒漠生态系统服务价值与 GDP 的比值，即发展均衡指数；坐标原点的气泡是整个荒漠生态系统的平均水平，2009 年该比值为 0.37，2014 年下降为 0.27。

态系统的保护与开发利用相对均衡；青海和宁夏的发展均衡指数较低，分别为 0.38 和 0.20，表明其荒漠生态系统需要进一步加强保护与修复。其他 6 个省份的发展均衡指数都很低，主要是因为在这些省份荒漠生态系统面积只占到其行政区划面积的较小比重，荒漠并不是其主要的生态系统类型，需要结合森林、湿地等其他生态系统的服务价值评估来综合评判生态保护与经济增长的均衡程度。

荒漠生态系统提质增效与经济增长的不均衡程度有所扩大。2009—2014 年，全国荒漠生态系统服务价值实际增加了 3.2%，年均增速为0.6%，原因主要在于我国荒漠化与沙化面积双缩减、程度双减轻，但是面积减少与程度减轻的幅度均较小。与此同时，荒漠生态系统涉及的 12个省份的 GDP 实际增加了 53.3%，实际 GDP 年均增速高达 8.9%，因此荒漠生态系统服务价值与 12 省份 GDP 的比值平均从 0.37 下降到 0.27。

虽然荒漠生态系统功能质量在提升、服务效益在增加，实现了生态保护与开发利用的双增长，但是荒漠生态系统的改善仍然滞后于区域经济的快速增长。伴随着荒漠地区经济发展水平的提升、居民生态环境保护意识的提高，以及生态系统产品与服务变得更为稀缺，人们对荒漠生态系统服务的需求将日益增加，将愿意为荒漠生态系统服务支付更高的价格。与此同时，随着经济总量的扩大、经济增速的放缓，荒漠生态系统提升的速度势必将赶超经济增速，从而达到荒漠生态系统提质增效与经济增长的高度均衡发展，实现荒漠生态系统质量的整体改善和生态产品供给能力的全面增强。

（四）东北地区草地生态形势依然严峻

东北地区（东北三省及内蒙古东部四盟市）是我国草地生态系统水热条件最为优越的区域，也是欧亚大陆温带草原中生产力最高、生物多样性最丰富的区域。据 20 世纪 80 年代草原普查，该区域草原面积 37.1 万平方公里，家畜承载力约为 6000 万只羊单位，分别占整个北方温带草原的20% 和 48%；草原每平方米物种数最高可达 70 种，草地生产力 1500~1800 千克/公顷，土壤有机碳密度 20~30 千克/平方米，具有很高的生态服务价值和生产资源价值。

东北地区草原与大兴安岭森林相匹配共同构成了我国东北地区西侧的一道强大的生态防护带，是额尔古纳河及嫩江水系的水源涵养区，是我国北方重要的防风固沙带，也是构建我国"两屏三带"生态安全战略格局的重点生态功能区。环境保护部和中国科学院 2015 年联合发布《全国生态功能区划》，在划定的 63 个全国重要生态功能区中，有 9 个位于东北地区，2 个位于东北草原地区。

同时，东北地区也是我国重要的农业、林业基地和著名的老工业基地。2016 年 4 月，中共中央、国务院提出了《关于全面振兴东北地区等老工业基地的若干意见》，明确指出要打造北方生态屏障和山青水绿的宜居家园，牢固树立绿色发展理念，坚决摒弃损害甚至破坏生态环境的发展模式和做法。但是，东北地区草原生态系统的现状、变化过程与变化态势尚不是十分清楚，亟待进行科学评估并提出相应的对策建议，可为区域生态安全和国家粮食安全提供重要的科学参考和决策支持。

基于大尺度草地植被调查和多平台多元遥感数据，结合典型草原生态系统长期地面观测，分析了近二三十年来东北地区气候和水文变化，提取了东北地区草原面积、模拟草地植被生长和生物量动态变化，评估了草原生态质量、利用及退化状况，综合分析了气候变化和人类活动对草地生态系统功能的影响，面向生态文明建设和绿色发展需求，提出了东北地区草原生态修复和持续发展的对策建议(图 2-12)。

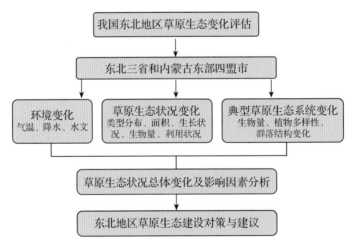

图 2-12　研究总体思路流程

1. 近 40 年东北地区草原面积减少 43%

利用 Landsat 8 OLI 和 Google Earth 高分辨率影像，结合东北地区基础地理信息，对东北地区草原类型进行了预分类；据此预分类结果设置野外调查路线和范围，对东北地区重点草原类型，利用样带、样线和样地等调查手段，采集草原类型、群落结构、生物量和景观照片等相关要素，获取各区域草原分类训练样本。最终结合自动分类和人工目视解译，完成了东北地区草原的解译、类型划分及统计制图等。1980年至今，东北地区草原面积从37.1万平方公里降低至21.3万平方公里，减幅43%。其中草甸草原类、典型草原类、低地草原类、山地草甸类和其他草原类的减幅分别为40%、17%、54%、82%和81%（图2-13）。从区域上看，内蒙古东部四盟市草原面积减少了29%。呼伦贝尔市草原面积从12万平方公里降低到9.4万平方公里，降幅21%。科尔沁地区三盟市草原面积从13万平方公里减少至8.4万平方公里，降幅约36%。东北三省20世纪80年代草原总面积12.2万平方公里，其中黑龙江、吉林和辽宁草原面积分别为7.8万、3.3万和1.2万平方公里。2018年东北三省草原面积降低至3.5万平方公

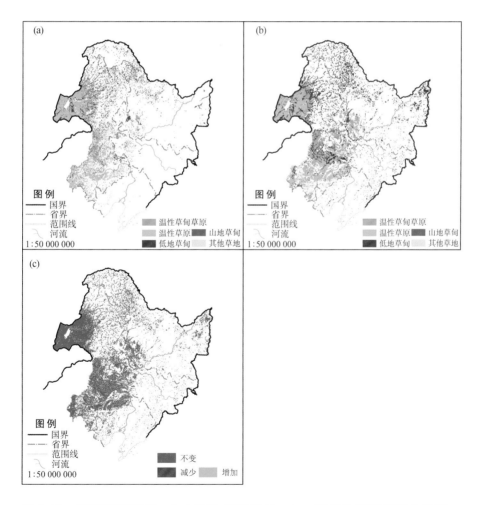

图2-13　草原面积变化：（a）2018年基于Landsat影像的草原类型分类图，（b）1980s草原类型分类图，（c）2018年相对于1980s草原面积变化图

里，降幅达 71%，其中黑龙江、吉林和辽宁草原分别减少了 68%、78%、73%。东北三省山地草甸基本全部消失，低地草甸、草甸草原降低幅度达 60% 以上，大部分转化为耕地或建设用地。

东北地区 50% 的典型草原和草甸草原分布在呼伦贝尔草原、科尔沁草原和松嫩草原等三个重点草原区域。20 世纪 80 年代这三个重点草原区的草原面积 14.2 万平方公里，占整个东北草原区的 38%；2018 年三个草原区总面积 10.8 万平方公里，占整个东北草原区的 51%，总体下降幅度低于整个区域草原面积变化。松嫩草原面积从 20 世纪 80 年代的 2.2 万平方公里降低至 0.9 万平方公里，降幅 59%；科尔沁草原面积从 20 世纪 80 年代的 3.0 万平方公里降低至 1.5 万平方公里，降幅为 50%；呼伦贝尔草原面积从 9 万平方公里减少至 8.3 万平方公里，减少了 8%。重点草原区草原面积的减少主要来源于较为湿润的草甸和草甸草原开垦，吉林西部、科尔沁和海拉尔沙地周边的草原沙化和盐渍化退化，此外，城镇面积也出现了大幅增加，包括工矿用地、建筑用地和居民地等对草原面积的占用和流转。

2. 草原生态系统功能呈波动上升趋势

2000—2018 年东北地区草原植被生长状况整体上呈波动上升趋势（图 2-14），数据来源：遥感数据和地面调查，遥感数据为 30 米分辨率 Landsat ETM+/ OLI 数据和 Google Earth 高分辨率影像，2000—2018 年 500 米分辨率的 MODIS 反射率等数据产品，以植被生长（NDVI）和草原生物量为主要指标]。与 2000 年相比，2018 年草原生长状况优秀的区域明显增加，从 2000 年的 3.7 万平方公里增加到 2018 年的 7.6 万平方公里，占东北地区总面积的比例从 30.9% 增长到 73.5%。其中科尔沁草原的北部、松嫩草原的西部和南部、呼伦贝尔草原的北部和大兴安岭东侧的草原生长状况明显好转。草原生长状况较差的地区域明显减少，从 2000 年的 4.7 万平方公里减少为 2018 年的 0.7 万平方公里，占东北地区总面积的比例从 38.6% 减少为 6.8%。各行政区及典型草原区的草原生长状况在 2000—2018 年之间的变化趋势基本一致，都呈现出波动上升趋势。不同行政区域草原生长状况以黑龙江最好，其次为辽宁、呼伦贝尔地区、吉林，科尔沁地区最差。年际波动方面，2000—2018 年东北地区草原 NDVI 的变异系数在 0~0.4 之间。其中呼伦贝尔草原西南部变化最为剧烈，变异系数达到 0.3~0.4，说明此区域草原生长状况波动较大；科尔沁草原的中部及西辽河平

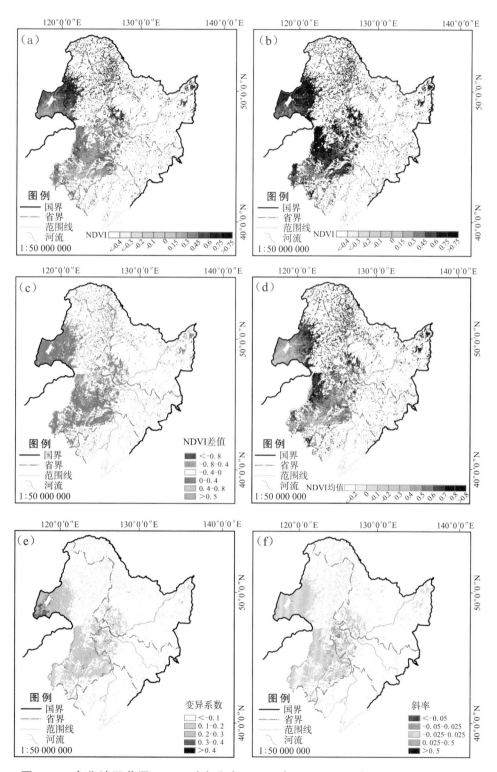

图2-14　东北地区草原NDVI时空分布：2000年（a）、2018年（b）及两个年度差值（c）；2000—2018年NDVI均值（d）、变异系数（e）、斜率（f）

原变异较为明显，变异系数为 0.2~0.3；其他地区年际波动较小。

东北地区草原地上、地下生物量碳库分别为 2600 万吨和 20300 万吨，地下碳库占总生物碳库的 89%。其中，草甸的总生物碳库占东北地区的 50%，典型草原占 25%，草甸草原占 24%，荒漠草原仅占 0.18%。各行政区的总生物量碳库也基本由地下生物量碳库决定，从高到低依次为呼伦贝尔地区（9600 万吨）、科尔沁地区（6600 万吨）、黑龙江省（5000 万吨）、辽宁省（1300 万吨）和吉林省（500 万吨）。而三个重点草原区的总生物量碳库从高到低依次为呼伦贝尔草原（7000 万吨），科尔沁草原（1100 万吨）和松嫩草原（900 万吨）。对生物量变化趋势的分析结果表明，东北地区草原地上及地下生物量每 10 年分别增长 0.45 千克/ 公顷和 1.7 千克/ 公顷，呈增长趋势的草原分别占 83.7% 和 75.4%。各行政地区及三个重点草原区内，地上和地下生物量的逐年变化整体上均呈上升趋势。

3. 草原利用方式趋于多样，退化形势依然严峻

东北地区气候寒冷，无霜期短，每年只有 4~5 个月可以放牧，黑龙江和呼伦贝尔历史上形成了冬季割草舍饲的习惯，割草利用方式对草原和家畜生产有很大影响。东北地区是我国北方天然打草场的主要分布区，天然草原放牧利用占草原总面积的 78%、打草利用占总面积的 22%。其中内蒙古东部四盟市天然草原以放牧利用为主，打草场占草原总面积的 17%；吉林省草原放牧面积也比较大，天然打草场面积 465 万亩，占草原面积 22.5%。黑龙江省天然草原以打草利用为主，打草场面积 1255 万亩，占草原面积的 52.5%。黑龙江和呼伦贝尔草原天然割草原大部分已经有 30 年以上的连年刈割历史，割草原比放牧地退化更为严峻。但是，目前对割草场退化状况之严峻认识不足。放牧退化因为家畜采食，在短期内草原产草量和物种组成迅速下降，所以放牧退化是显性的、易于发现和探测。而割草场在短期甚至十几年连续割草都不会表现出产草量明显下降，割草场退化比放牧场退化缓慢，夏季割草场也会保持一定的草群高度，相对于放牧引起的植被高盖度变化，天然割草场的退化经常被忽视，造成割草场没有严重退化的错觉。事实上，长期连续割草可能引起比放牧更严重、难以恢复的退化。放牧过程通过家畜粪尿促成养分周转，放牧退化草原可以通过围栏封育、草畜平衡进行自然恢复；而长期割草会逐渐抽空土壤养分库和种子库，呼伦贝尔的研究表明，长期打草可使土壤种子库下降 30% 以上，同时造成土壤极度贫乏，因此割草原退化缓慢、隐性却难以自然恢复。

20世纪80年代以来，在经济发展和人口增加的双重压力下，东北地区的资源消耗逐年加大，农田、城镇面积迅速增加，草原超载放牧造成的植被退化、土壤沙化及不合理开垦草原所带来的土地退化和沙地的沙漠化等环境问题，形成对畜牧业生产和经济社会发展的严重限制。据有关资料，1980—2018年，东北草原沙漠化土地扩展有所控制，但总体面积仍然较大，尤其是1995—2000年，草原沙化面积增加了2500平方公里。近10年草原沙化面积趋于稳定(约1.35万平方公里)。在内蒙古，从东至西全区草原都面临着严重退化沙化的问题。自治区东北部呼伦贝尔草原沙化面积近133.3万公顷，草原沙化成为直接影响呼伦贝尔生态环境的重要指标。在沙漠化加剧过程中，草原开垦是呼伦贝尔草原沙漠化的最主要人为因素之一。此外，草原局部严重超载过牧、工业破坏、旅游开发，都在一定程度上造成草原面积变化和植被退化。2011年，草原生态奖补机制实施以来，虽然东北地区重点草原区生态环境有向好发展的趋势，但是草原生态环境的修复过程是一个持续的动态调整过程，需要与时俱进，制定合理的、动态的生态环境修复办法，逐步实现草原退化现状的改善。

(五)中国城市生态空间建设进入高水平发展阶段

城市森林、湿地、绿地等生态空间对形成良好人居环境和促进城市健康发展至关重要。2016年，国家林业局在前期森林、湿地、荒漠等三类生态站建设的基础上，正式把城市生态站作为一个单独类型来支持建设，开启了对城市生态空间变化及其服务功能的长期定位观测研究。

城市生态站的宗旨是研究城市区域的森林、湿地、绿地等生态空间对城市环境的影响与响应，对居民身心健康和社区的作用，为科学建设和利用城市森林、湿地、绿地等生态空间提供理论依据和技术支撑，为城市实现可持续发展和应对气候变化提供基于自然的解决方案。目前全国已经批准建立了18个城市生态站(图2-15)。

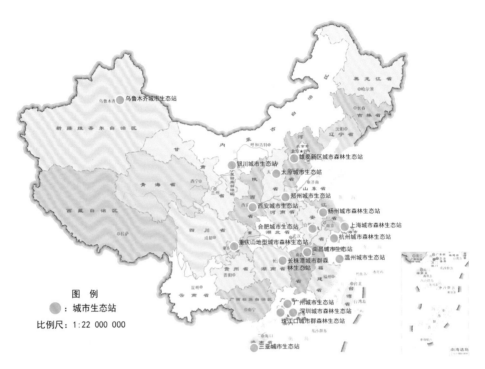

图 2-15　中国城市生态站分布

1. 城市生态空间呈现量质双升的态势

城市生态站是在延续传统森林、湿地、绿地等不同类型城市生态空间样地尺度的观测研究基础上，把城市作为一个"超级大样地"，关注城区、城近郊区、市域等区域多尺度的生态空间状况与动态变化研究。

（1）城市生态空间的面积稳中有升。在我国，越来越多的城市把森林、湿地、绿地等生态空间作为城市有生命的生态基础设施，坚持城乡一体、林水结合、生态网络等城市生态建设理念，特别是以森林城市和森林城市群为抓手，面向市域开展城市森林、湿地、绿地等生态空间的规划建设，使城市化地区的自然生态系统得到有效保护和恢复。目前全国已经有 194 个城市被授予"国家森林城市"称号，22 个省份开展了省级森林城市创建，建成一大批森林城市（县城）、森林城镇、森林乡村、森林人家、森林园区等示范。通过开展森林城市建设，有效增加了城乡森林和绿地面积。总体来看，我国城市生态空间的面积呈现持续增长的趋势，如上海市森林覆盖率由 2009 年的 12.58%，上升至 2015 年的 15.03%，2020 年的 18.49%（图 2-16）。

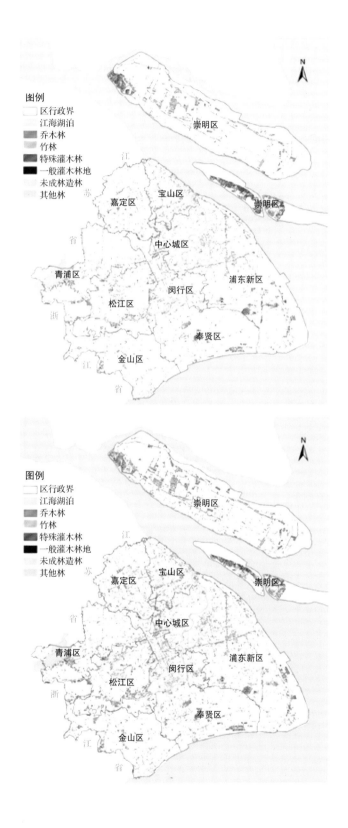

图 2-16 上海市 2009 年(上)、2015 年(中)、2020 年(下)森林资源分布

（2）城市生态空间的质量持续提升。我国城市生态空间建设的一个显著特点是面向市域范围开展近自然林为主的森林生态系统保护与恢复，既注重增加生态空间总量，更注重通过保护恢复地带性森林、优化生态空间布局、调整林分结构等措施来提高生态空间质量。以北京为例，自 2012 年以来通过实施两轮百万亩造林工程、留白增绿等一系列造林绿化工程，丰富了平原区森林景观，改变了过去"有绿色、缺景色"的景观单一问题，将过去平原区"一树独大"的杨树林所占比例由 2010 年的 63.00% 下降到 2014 年的 43.00%；使平原地区的森林覆盖率从 2011 年的 14.85% 提高到 2015 年的 25.00%，净增 10.15 个百分点，其中北京城市发展新区的森林覆盖率增加 12.13%，扭转了生态空间"远处多、身边少"的局面（图 2-17）；到 2020 年平原森林面积达 245 万亩，森林覆盖率达到 30.40%，形成万亩以上绿色斑块 30 处、千亩以上 240 处，改变了平原区"林带多、片林少"的资源结构，提升了平原区森林资源质量。

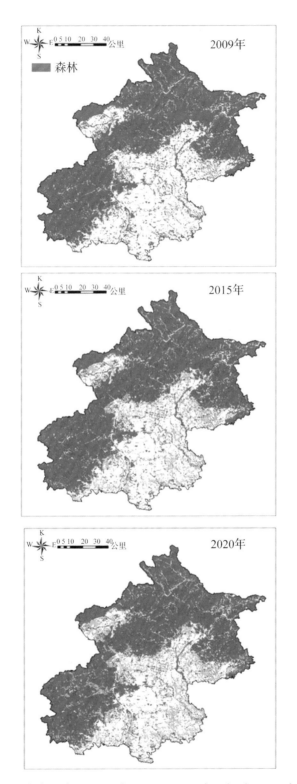

图 2-17　北京市森林资源 2009 年（上）、2015 年（中）与 2020 年（下）对比

在城市化高度发展和城市化快速推进的粤港澳大湾区，城市森林、湿地、绿地等生态空间比重同样保持了稳中有升的良好态势。珠三角城市群森林覆盖率由 2016 年的 51.50% 提高到 2020 年的 51.72%，增加了 0.22 个百分点。湿地面积占比达 14.40%，湿地保护率 85.70%。城区绿化覆盖率由 2015 年的 42.80% 提高到 2019 年的 44.64%，人均公园绿地面积由 2015 年的 19.20 平方米提高到 2019 年的 20.01 平方米。同时大湾区主要城市的森林生态系统的整体性和功能性也得到了持续提升。以深圳为例，深圳森林斑块总数量中有 36.50% 属于面积小于 1 公顷的中小尺度斑块，而大尺度和特大尺度斑块在数量和面积比例上都较大，反映出深圳市城市森林整体性强，形成了以大斑块为主体、相对健康的城市森林生态系统。

2. 城市生态空间生物多样性持续改善

城市化是影响全球生物多样性变化的重要驱动因素之一，其中城市占据了世界上至少 20% 的鸟类多样性。我国城市生态空间建设中注重对原生植被的保护恢复，造林绿化提倡更多使用乡土树种、食源植物、长寿树种和特色景观树种，注重城市鸟类、小动物等生境的保护与恢复，培育健康稳定的城市自然生态系统。在北京、广州、深圳、南昌等许多城市的生物多样性研究和监测数据表明，城市森林、湿地、绿地等生态空间成为生物的"庇护所"，植物、鸟类、蝴蝶等种类日益丰富，城市生物多样性有所增加。

（1）北京、广州、扬州等城市的研究和监测数据表明，随着城市生态空间数量和质量的不断提升，城区生态空间的鸟类多样性持续增加。以广州为例，从广州城市站近 10 年监测结果发现，广州城市绿地监测区域记录到鸟类种类 315 种，隶属于 20 目 68 科，占全省已记录鸟类 553 种的 56.96%；属于《国家重点保护野生动物名录》的鸟类 31 种，属于"三有"名录的有 234 种。按居留类型分，留鸟 155 种，占 49.21%；冬候鸟 127 种，占 40.32%；夏候鸟 33 种，占 10.47%。其中在广州的中心城区鸟类种类和数量持续增加，由 2008 年的 71 种 11389 只增加到 2018 年的 127 种的 31010 只（图 2-18），10 年间鸟类种数相对增加了 78.87%，优势种和常见种发生显著变化，城市中心城区公园鸟类的优势种更为明显，优势种种类数量增幅较大。

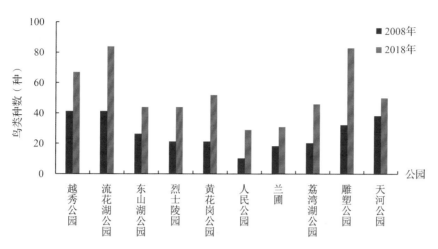

图 2-18　广州市中心城区鸟类种数动态变化

　　(2)粤港澳大湾区城市群湿地的鸟类多样性稳步改善。近年来粤港澳大湾区城市群注重在区域尺度上保护自然生境和恢复生物迁徙的生态廊道，增强区域生态系统的整体性和功能性。从大湾区广州、深圳、珠海等城市的红树林湿地鸟类观测结果来看，在高度城市化的区域背景下，红树林生态系统得到有效保护和恢复，鸟类多样性呈现持续改善的态势，其中黑脸琵鹭被誉为鸟中"大熊猫"，全球濒危鸟类，1989 年被列入濒危物种红皮书，它对环境要求极为苛刻，是生态环境的指示性物种。自 2015 年以来，每年冬季广州南沙湿地、珠海淇澳和深圳盐田红树林湿地的黑脸琵鹭数量呈逐年上升趋势(图 2-19 至图 2-21)，表明本地区生态环境日益改善。在广州南沙红树林湿地，2019 年度监测共记录鸟类 13 目 31 科 74 种，其中候鸟 30 种，占总物种数的 40.54%，属于《中华人民共和国政府和澳大

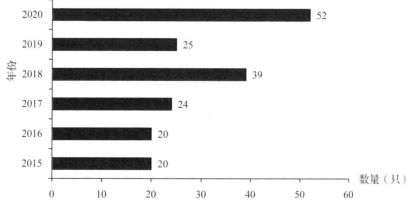

图 2-19　广州南沙红树林湿地黑脸琵鹭观测到的数量

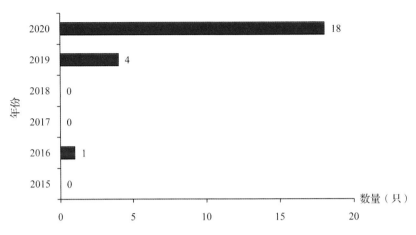

图 2-20　珠海淇澳红树林湿地黑脸琵鹭观测到的数量

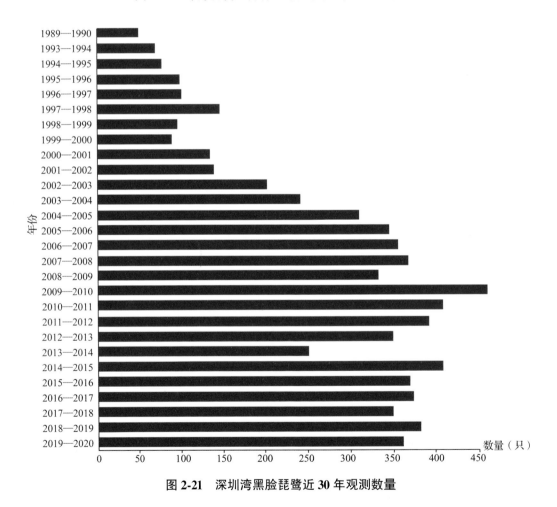

图 2-21　深圳湾黑脸琵鹭近 30 年观测数量

利亚政府保护候鸟及其栖息环境的协定》名录的 13 种，属于《中华人民共和
国政府和日本国政府保护候鸟及其栖息环境的协定》名录的 28 种，列入国家

二级保护的 5 种。在珠海淇澳红树林，2015—2017 年共记录鸟类 12 目 40 科 120 种，其中保护物种共计 100 种，占总物种数的 83.33%；候鸟 68 种，占总物种数的 56.67%；国家二级保护物种 6 种，属于《中澳候鸟协定》名录的 19 种，属于《中日候鸟协定》名录的 44 种，列入 CITES 附录Ⅱ的 5 种；列入 IUCN 近危种的 2 种。在深圳福田红树林，2020 年共录得鸟类 154 种，隶属于 15 目 42 科，其中濒危鸟类 4 种，国家一级保护野生鸟类 2 种，国家二级保护野生鸟类 15 种。

（3）城市蝴蝶多样性观测研究持续展开。蝴蝶是城市生物多样性的组成部分，是反映人为活动干扰对城市生物多样性产生直接影响的重要指示生物，也是成人喜欢观赏和幼儿喜好嬉戏追逐的自然小精灵。因此，蝴蝶成为城市生物多样性的评估指标，也是衡量城市化对城市生物多样性影响的环境指示生物。广州市 21 条城镇型绿道的蝴蝶监测中，共记录到蝴蝶 7 科 21 属 31 种，其中展翅直径超过 5 厘米、色彩艳丽的蝴蝶个体数量占 68.00%，物种数占 78.00%，表明广州市城镇型绿道蝴蝶的观赏性较强；深圳市在 2015 年和 2018 年通过对城区、近郊、远郊进行梯度观测发现，蝴蝶多样性与城市生态空间斑块面积呈正相关，但随城市梯度变化并不明显，这在城市化地区还是比较少见的，其原因可能与深圳拥有布局合理、类型丰富、相互连通的城市森林、公园绿地有关。

3. 城市生态空间显著减缓热岛效应和改善游憩环境

（1）城市生态空间能够有效减缓热岛效应。一方面城市森林具有明显的降温效应。多个城市生态站对市区城市森林内外空气和土壤温度进行了系统观测和研究评价，结果均显示城市森林具有显著的降温效应，且可有效减少城市高温天数。如广州城市公园平均气温较外部区域低 1.2℃，扬州地区城市森林林内空气温度均低于林外空气，差值 0.05~1.01℃。另一方面城市生态空间减缓热岛强度。以深圳为例，2019 年与 2014 年相比，最高温度从 2014 年的 45.03℃ 降低到 2019 年的 41.43℃，降幅为 3.60℃；最低温度从 2014 年的 14.85℃ 降低到 2019 年的 13.35℃，降幅达 1.50℃；平均温度由 2014 年的 25.65℃ 下降到 2019 年的 25.33℃，降幅为 0.32℃。从 2014—2019 年的 5 年间变化来看，深圳市呈现了绿岛面积增加的过程，增长了 289.46 公顷；弱热岛面积增加了 12419.54 公顷，而中等热岛、强热岛、极强热岛的面积分别减少了 10121.75 公顷、2633.43 公顷和 0.54 公顷，表明近年来深圳总的热环境正朝着与人居环境需求相适应的方向发展。

（2）城市生态空间能够为市民提供健康的休闲游憩场所。一方面城市森林、湿地等生态空间具有更高和更长时间的人体舒适度。杭州城市站对城市森林、湿地以及对照区的气象因素观测分析表明，在 7 月和 8 月，城市森林和城市湿地的综合舒适度指数全天均明显低于对照区，体感更舒适，且城市森林的综合舒适度指数最低，体感最舒适。同时，城市森林和湿地都能够明显缩短体感不舒适的时间，其中处于极不舒适级别的时段在 7 月平均每天分别缩短 7 小时和 6 小时，在 8 月则均缩短了 3 小时。另一方面城市森林缓解城市大气污染，可以提供更洁净的游憩环境。多个城市生态站开展了城市森林净化大气污染的功能监测研究并取得了显著进展，尤其是上海站首次阐明了"凝并作用"是植物叶片去除大气颗粒物的重要机制（图 2-22），证实了城市中更多的绿色基础设施可有效缓解大气污染的作用，并研发了一种全新的间接式测定 $PM_{2.5}$ 在植物叶片上干沉降速率的方法。

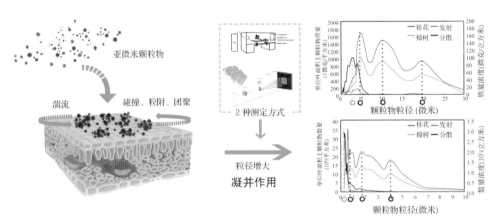

图 2-22　植物叶片颗粒物凝并效应示意

城市生态空间及其服务功能研究是一项复杂的工作，目前基于单个城市有限类型和数量样地的观测研究成果还很不系很不完整，但从这些碎片化的研究走向城区、城近郊区、市域等多尺度的整体性和系统性耦合，回答城市生态空间对城市发展、宜居环境、居民健康等方面的影响和贡献，为城市和城市群发展提供基于自然的解决方案，是城市地区生态站定位观测研究发展的必然。今后城市生态站将继续加强队伍建设，注意观测数据的系统性和规范性，加强生态站之间的协作研究，加强森林城市和森林城市群建设实用技术研发，为中国城市健康发展和森林城市建设提供基于科学数据的战略咨询和技术支撑服务。

(六) 中国竹林面积持续增加生态效益显著提升

世界上约 15 亿人口的生活与竹子密切相关，竹子在改善全球生态、消除贫困、推动经济发展等方面具有重要意义。竹子生长快，一次性种植，永续利用，具有巨大的碳汇减排潜力。同时，在用材和生物能源开发方面潜力巨大。根据 2017 年出版的《世界竹藤名录 (英文版)》统计，全球竹类植物 88 属 1642 种，面积约 3200 多万公顷，约占世界森林面积的 4%，资源极为丰富。其中，中国拥有竹类植物 39 属 837 种，面积约占全球竹林面积的 20%，是世界上竹资源最丰富的国家。中国竹林面积几十年来稳步增加，以每 20 年增加约 50% 的速度，从 304 万公顷 (1973—1976 年) 增长到 641. 16 万公顷 (2014—2018 年)。在提高全球竹资源的育种、培育和加工利用科技水平的同时，积极发挥竹林生态效益对于改善全球生态环境、减缓气候变化、促进经济社会可持续发展具有重要的战略和现实意义，同时可为建设美丽中国、践行生态文明作出积极贡献。

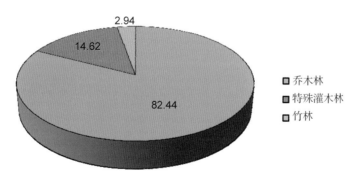

图 2-23 中国森林面积构成 (%)

1. 中国竹林资源稳步增加

据第九次全国森林资源清查报告显示，中国森林总面积为 2. 18 亿公顷，其中竹林 641 万公顷，占森林总面积的 3% (图 2-23)。全国竹林面积按竹种分，毛竹林 467. 78 万公顷、占竹林总面积的 72. 96%，其他竹林 173. 38 万公顷、占 27. 04%；按起源分，天然竹林 390. 38 万公顷、占 60. 89%，人工竹林 250. 78 万公顷、占 39. 11%；按林木所有权分，国有竹林 25. 28 万公顷、占 3. 94%，集体竹林 65. 38 万公顷、占 10. 20%，个人所有竹林 550. 50 万公顷、占 85. 86%（图 2-24）。

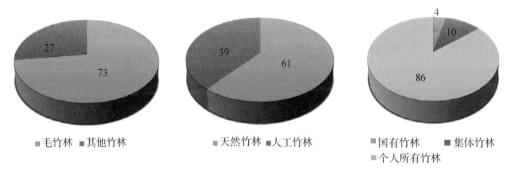

图 2-24 不同分类竹林面积构成（%）

统计历次全国森林资源清查报告发现：中国竹林面积逐步增加，从 304 万公顷（1973—1976 年）增长到了 641. 16 万公顷（2014—2018 年）（图 2-25）。比较 1994—1999 年与 2014—2018 年两次全国森林资源清查报告中各省份竹林面积分布情况发现，竹资源主要分布区内各省份竹林面积均有增加（表 2-8）。两次清查报告中竹林面积最大的均为福建省，其次为江西省、浙江省、湖南省（图 2-26）。四省的总竹林面积由 256. 21 万公顷增长到 391. 98 万公顷，分别占全国总竹林面积的 60. 85% 和 61. 14%。

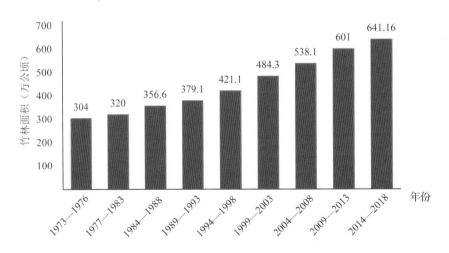

图 2-25 历次森林资源清查中竹林面积变化

表 2-8　中国各省份竹林面积

区域	竹林面积(万公顷)	
	1994—1998	2014—2018
全国	421.08	641.16
福建	82.03	113.96
江西	62.73	105.65
湖南	49.00	82.31
浙江	62.45	90.06
安徽	25.08	38.8
广东	38.38	44.62
广西	24.98	36.02
湖北	13.12	17.92
四川	36.04	59.28
贵州	5.44	16.01
江苏	2.30	3.13
重庆	–	15.39
河南	1.94	2.26
山西	0.16	0
上海	0.23	0.31
海南	2.16	1.68
云南	10.56	11.52
陕西	4.48	2.24

2. 竹林生态系统服务功能突出

竹资源是我国南方一类重要的森林资源，具有较高的经济、社会和生态价值，在农村脱贫、农业发展和美丽行村建设中发挥着不可替代的作用。其中，毛竹是我国分布最广、面积最大、栽培和利用历史最悠久的竹种，面积超过 400 万公顷，占我国竹林总面积的 70% 以上，对我国竹产业的发展起着举足轻重的作用。毛竹不仅是我国竹产业发展最重要的原料来源，还在涵养水源、保持水土、生物多样性保护等方面发挥着重要的生态功能。

(1)竹林具有丰富的物种多样性。通过对闽北山地典型的常绿阔叶林、杉木林、毛竹纯林、8 竹 2 阔林、杉竹混交林物种数量的调查，发现 5 种群落的植物隶属 86 科 166 属 231 种，其中蕨类植物 13 科 21 属 30 种，裸子植物 2 科 2 属 2 种，被子植物 71 科 143 属 199 种(其中双子叶植物 63 科

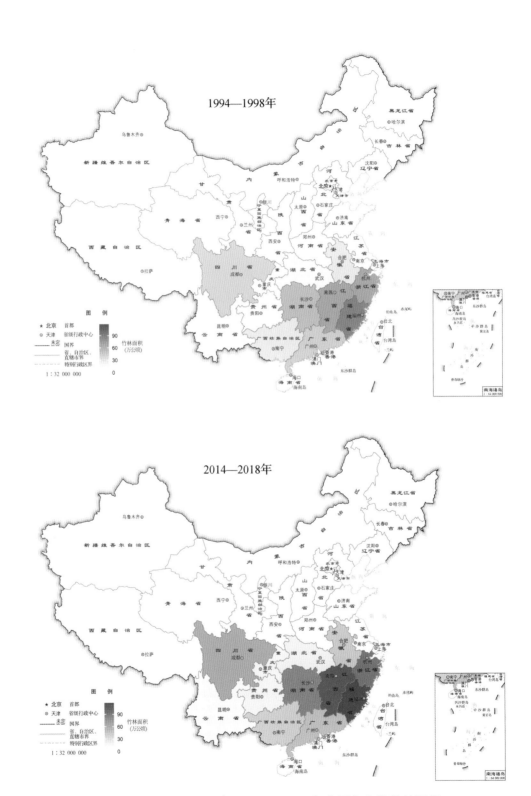

图 2-26　1994—1998 年、2014—2018 年中国各省份竹林面积

125 属 179 种,单子叶植物 8 科 18 属 20 种)。其中,常绿阔叶林、毛竹林、8 竹 2 阔林的植物区系较广泛,分别隶属 73 科 109 属 129 种、55 科 90 属 118 种、76 科 128 属 156 种和 68 科 120 属 148 种,而杉竹混交林和杉木林植物则分别分布于 38 科 54 属 60 种和 42 科 57 属 64 种。不同群落科、属、种组成主要与林分组成、劈灌及竹林挖笋、砍伐利用等紧密相关。

物种数、丰富度以 8 竹 2 阔林最高,分别为 156 和 12.96,其后依次为:常绿阔叶林、毛竹纯林、杉木林和杉竹混交林;Simpson 指数、Shannanon-Weiner 指数和均匀度以常绿阔叶林最高,分别为 0.98、4.42 和 0.91,其后依次为:毛竹纯林、8 竹 2 阔林、杉木林和杉竹混交林;生态优势度以杉竹混交林最高($\lambda = 0.0846$),其后依次为杉木林、8 竹 2 阔林、毛竹纯林、6 竹 4 阔林和常绿阔叶林。

(2)竹阔混交林保育土壤效果良好。采用多指标、多种分析方法研究林地土壤性质,结果表明:土壤物理性质状况常绿阔叶林最佳,8 竹 2 阔林次之;常绿阔叶林土壤养分状况最佳,竹杉混交林最低;土壤酶活性以 8 竹 2 阔林最佳,6 种酶中 4 种酶活性最高,杉木林土壤酶活性最差,其所有酶活性均最低。土壤细菌占土壤微生物总量比例最大,达 96.20% 以上,放线菌数量次之,真菌数量最少。聚类分析和土壤性质综合评价得出各林分土壤性质综合指数依次为:常绿阔叶林>8 竹 2 阔林>毛竹纯林>6 竹 4 阔林>竹杉混交林>杉木林,除常绿阔叶林外,8 竹 2 阔林土壤综合得分最高,是较好的竹林经营模式(表 2-9)。

表 2-9 土壤性质综合指标值(SH)

林分类型	各层土壤性质得分			平均得分
	A_1	A_2	A_3	
杉木林	0.5403	0.2895	0.1417	0.3238
竹杉混交林	0.4874	0.3576	0.2342	0.3598
毛竹纯林	0.5867	0.3722	0.2407	0.3999
8 竹 2 阔林	0.7752	0.5287	0.3248	0.5429
常绿阔叶林	0.8060	0.5730	0.5214	0.6335

(3)竹林混交经营有效提高竹林水源涵养功能。不同类型毛竹林林冠截留能力介于常绿阔叶林和杉木纯林之间,其中竹杉混交竹林的截留能力

最优。5 种林分林冠截留率和树干茎流率变化范围分别 14.41%～18.09%、0.81%～3.06%。林冠截留率的大小顺序：常绿阔叶林（18.09%）>杉木纯林（17.33%）>竹杉混交林（16.26%）>竹阔混交林（14.61%）>毛竹纯林（14.88%）。林分总水源涵养以常绿阔叶林为高，为 747.20 毫米，其次为杉木近熟林和杉竹混交林，其总涵水量分别为 698.53 毫米和 683.26 毫米，随后是 8 竹 2 阔林，其总涵水量为 656.73 毫米，毛竹纯林总水源涵养量最低，为 641.17 毫米（表 2-10）。即毛竹混交尤其是杉竹混交可提高竹林水源涵养功能。

表 2-10 不同林分总水源涵养

林分 类型	总涵水量 （毫米）	林冠截留 （毫米）	比例 （%）	枯落物持水 （毫米）	比例 （%）	土壤贮水量 （毫米）	比例 （%）
杉木林	696.53	391.19	56.16	2.68	0.38	302.66	43.45
杉竹混交林	683.26	366.95	53.71	1.13	0.17	315.18	46.13
毛竹纯林	641.17	335.71	52.36	0.92	0.14	304.54	47.50
8 竹 2 阔林	656.73	325.25	49.53	1.30	0.20	330.18	50.28
6 竹 4 阔林	643.76	334.29	51.93	1.07	0.17	308.40	47.91
常绿阔叶林	747.20	408.28	54.64	1.22	0.16	337.70	45.20

（4）混交竹林具有极强的土壤抗侵蚀性。土壤有机质、水稳性指数、结构系数、入渗速率（初渗速率、稳渗速率、平均速率和渗透总量）、根重、根长和抗冲性指数随土层增加而降低，而结构体破坏率团聚度、分散率和分散系数等随土层增加而增加，表明林地土壤抗侵蚀性能随土层增加而减弱。因子分析和主分量分析表明，土壤水稳性指数、抗冲性指数、土壤有机质含量与众多土壤理化性质、生物活性、土壤抗侵蚀性指标之间存在极显著或显著的相关关系，在土壤抗侵蚀性第一主分中具有较大的负荷，可作为表征林地土壤抗侵蚀性的综合参数。各林分土壤抗侵蚀性综合指数大小次序依次为：竹杉混交林>8 竹 2 阔林>常绿阔叶林>杉木林>毛竹纯林，说明竹林尤其毛竹混交林林地土壤具有较强的抗侵蚀性能（表 2-11）。

表 2-11　不同林分土壤抗侵蚀性能综合得分

林分类型	土壤抗侵蚀功能综合得分			
	0~20 厘米土层	20~40 厘米土层	40~60 厘米土层	三层平均
杉木林	0.1173	−0.2296	−0.3120	−0.1414
竹杉混交林	0.8237	0.4635	0.0650	0.4508
毛竹纯林	0.4005	−0.4132	−0.5907	−0.2011
8 竹 2 阔林	0.5586	−0.1376	−0.4704	−0.0165
常绿阔叶林	0.4200	−0.2492	−0.4429	−0.0907

（5）竹林综合生态功能突出。通过对林分物种多样性、生产力、土壤性质、水源涵养及土壤抗侵蚀性等主要生态功能综合评价表明，生态功能综合指数排序：常绿阔叶林>8 竹 2 阔林>毛竹纯林>竹杉混交林>杉木林，说明森林生态功能随阔叶树比例增加而呈现增强的态势。毛竹纯林和毛竹混交林主要生态功能综合指数均高于杉木纯林（图 2-27）。在南方丘陵区毛竹造林规划、毛竹林抚育、改造时，可适当增加阔叶树比例，这不仅可增强其生态服务功能，还起到治理南方丘陵区水土流失的效果，达到利用本地丰富的竹资源发展经济的同时实现对本区生态环境的有效治理。

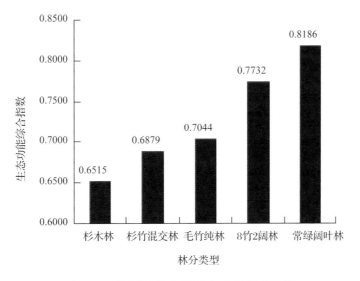

图 2-27　不同林分主要生态功能综合指数

3. 近 15 年竹林碳汇功能呈上升趋势

以中国竹林面积分布最大的福建省为例，结合遥感数据（数据来源：2000—2014 年 250 米分辨率的 MODIS 植被指数产品）和野外实地调查，以植被生长（EVI）和毛竹生物量为主要指标，发现福建省毛竹林地上生物量碳密度在 2000—2014 年间呈现前期下降、后期上升、总体保持上升的趋势（图 2-28）。分析其原因，受气候变化和人为因素等多重影响。

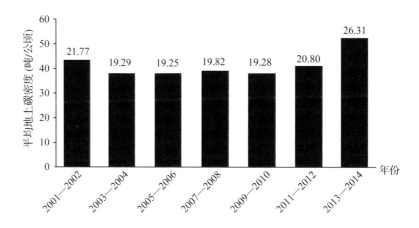

图 2-28　福建省毛竹林 2001—2014 年平均地上碳密度变化

自 2001—2008 年毛竹碳密度呈先下降后小幅回升现象（图 2-28）。福建省毛竹林主要分布于西北部地区，武夷山山脉对北方冷空气南下和东南海洋性暖流北上的阻隔使得闽西北成为中国毛竹最适宜区，水热资源充沛。因此，该地区异常气候的出现会对毛竹林的正常生长产生极大影响，如 2003 年夏季至 2004 年春季期间福建省持续高温少雨，正值毛竹发笋期，旱情对毛竹林的造成了严重损害，导致 2003—2004、2005—2006 年期间毛竹林碳密度的降低。此外，在 2003、2004 年间，福建省主要毛竹林分布区开始竹山道路的建设，竹山道路的开通使得交通不便、偏僻地区的毛竹林由原来的粗放式经营向集约式经营转变，也伴随着大量毛竹林的采伐更新，导致毛竹林地上碳密度出现降低趋势。同时，福建省毛竹林所有权主体多样，集体所有毛竹林和个人承包毛竹林无序分布，导致经营管理较为粗放，难以集约经营，再加上资金和技术投入不足，许多地区毛竹林生物量较低。

2009—2010 年的下降趋势可能与 2008 年的雨雪冰冻灾害有关（图 2-28）。2010 年发布的福建省林地保护利用规划（2010—2020 年）的实施也有效提高了福建省毛竹林碳储量。自 2011 年开始，毛竹林碳密度呈快速上升趋势，冰雪灾害前的 19.82 吨/公顷上升到 2013—2014 年的 26.31 吨/公顷，上升幅度近 33%。

综合来看，福建省毛竹林地上碳储量从 2001 年的 2035 亿吨上升到 2014 年的 2639 亿吨，增加了 29.68%，地上生物量碳汇功能显著提升（图 2-29）。

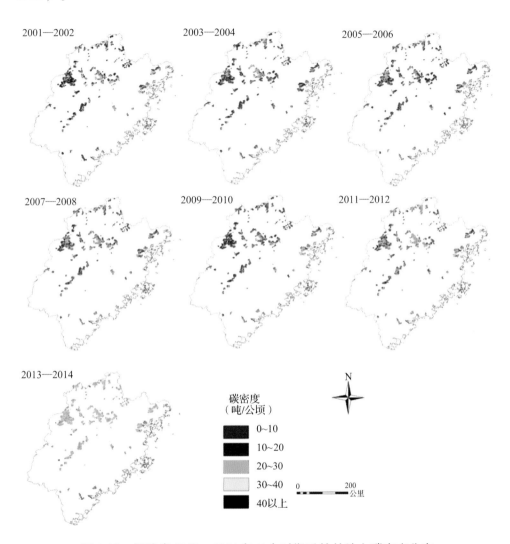

图 2-29　福建省 2000—2014 年 7 个时期毛竹林地上碳密度分布

三、 主要建议

（一）进一步加强生态站定位观测研究能力建设

CTERN 全网 202 个台站的建设水平和观测研究能力差异较大，观测研究团队成员变动频繁，观测设备设施缺乏科学管理等，很大程度上影响了台站的建设质量和观测研究能力的提升，限制了站网的高质量发展。建议进一步加强台站建设水平和提升观测研究能力，统筹各类资源，增加建设投资和运行投入，改善基础设施，提升站点的观测运行水平；规范台站建设运行，加强台站标准化建设和设施设备规范运转，重视仪器设施的维护和标定，提高观测数据稳定性和一致性；依据台站科研观测能力和运行管理水平，推进台站分级管理；加强数据管理和服务平台建设，推进数据共享和数据产品开发；加强台站观测人员学习交流和技术培训，综合考虑建设阶段、运行能力、研究水平等因素，有针对性设计培训内容和开展相应培训，进一步提升观测队伍业务能力；结合国家和行业需求，组织开展联网研究，成立相应的生态站类型专家技术支撑团队，负责相关数据应用成果产出和咨询报告编撰，进一步提升台站技术支撑能力。

（二）针对重点生态区域、重大生态工程开展监测、评价与评估

根据《全国重要生态系统保护和修复重大工程总体规划（2021—2035年）》安排，全国陆表被划分为"七大治理板块"（"三区四带"），规划布局了 9 个重大工程、47 项重点任务。生态观测站网要与时俱进，在重点生态区域、生态敏感地段、关键生态地带加密站点和设备，进一步推进精准监测、智慧监测、自动监测水平；在现有单站、多要素观测基础上，构建多站点、格网化综合观测体系，最终形成覆盖各生物气候区域、大江大河流域、名山大川山系及经济发展区域的全域观测网络系统，全面回答单个野

外站难以回答的不同区域、不同尺度的科学问题。比如，中国生态文明建设和生态治理的基础生态学问题研究、重要区域生态环境综合治理与生态系统质量提升的过程机理研究、气候变化的区域生态适应性研究，以及京津冀城市群生态屏障、长江中上游生态屏障、粤港澳大湾区生态屏障、黄河流域生态保护与高质量发展等重大问题的研究。

（三）强化草原生态监测评估

加强草原生态监测评估，促进草原绿色可持续发展。需要在政府层面和科研层面，提出生态系统评估的整体框架、指标体系、评估程序：①在地方立法和政策制定过程中充分考虑生态承载力，体现保护优先原则；②建立以绿色经济为核心内容的社会发展指数；③建立综合考虑体现绿色经济指标的干部政绩考核体系；④结合现代信息技术手段，构建东北生态系统综合变化评估体系，提高生态评估的质量；⑤通过政策引导社会资本参与，将资金和技术有效结合，探索生态工程项目治理成果的延续机制，变输血为造血，避免草原退化—治理—再退化—再治理的往复循环，拉动我国现代草牧业发展，促进草原生态经济系统整体完善。

（四）重视城市生态空间的"自给自足"，满足居民对美好生活的需求

城市生态站的观测数据和相关研究结果表明，城市森林、湿地、绿地等生态空间具有改善城市生态环境的重要功能，特别是就地缓解城市发展带来的大气污染、热岛效应等各种环境问题，并且为城市居民提供就近休闲游憩的健康生态场所和自然美景，这种良好的生态环境和多功能的生态服务需要城市加强自身生态空间建设来解决。因此，在国土空间规划特别是城市规划建设中，要转变林地、湿地、绿地等是行业部门用地的传统观念，把它们作为城市有生命的生态基础设施来保护恢复和规划建设，让城市拥有总量适宜、布局均衡、结构合理的生态空间。

（五）加强生态定位观测研究国际合作

在确保国家资源与数据安全的前提下，积极推进与国际机构、发达国家、发展中国家在森林、湿地、荒漠、草原、城市、竹林野外观测研究领

域的国际科技交流与合作，提高观测指标和技术手段的一致性，促进数据共享，提升创新能力。加强与国际长期生态学研究网络（ILTER）、国际通量网（FLUXNET）、全球地球关键带观测实验研究网络（CZO）、全球综合地球观测系统（Global Earth Observation System of Systems，GEOSS）等国际组织的深度交流合作，积极推荐专家在国际组织任职，积极主导或参与林草国际公约和国际标准制定，提高生态定位观测数据对国际履约的支撑。深入理解山水林田湖草沙综合治理和联合国 2021—2030 年生态系统修复十年计划的联系和需求，基于生态站长期观测数据开展凸显中国经验并符合国际规范的研究，推广我国先进的理念、技术和模式，服务绿色"一带一路"建设，为全球陆地生态保护修复作出贡献。